Jean-Paul Sartre

S0-ARM-224

rowohlts monographien
begründet von Kurt Kusenberg
herausgegeben von Wolfgang Müller
und Uwe Naumann

rororo

Jean-Paul Sartre

Dargestellt von Christa Hackenesch

Rowohlt Taschenbuch Verlag

Umschlagvorderseite: Jean-Paul Sartre.
Foto von Gisèle Freund, 1939
Umschlagrückseite: Sartre verkauft
«La Cause du Peuple», 1970
Sartre und Simone de Beauvoir bei einer Studio-
aufnahme der «Tribune des Temps Modernes», 1946

Seite 3: Sartre im Café, vor der Bekanntgabe
des Nobelpreises, 1964
Seite 6: 19. April 1980: der Trauerzug
folgt Sartres Sarg

Originalausgabe
Veröffentlicht im Rowohlt Taschenbuch Verlag
GmbH, Reinbek bei Hamburg, April 2001
Copyright © 2001 by Rowohlt Taschenbuch Verlag
GmbH, Reinbek bei Hamburg
Alle Rechte an dieser Ausgabe vorbehalten
Dieser Band ersetzt die 1964 erschienene
Sartre-Monographie von Walter Biemel
Umschlaggestaltung Ivar Bläsi
Redaktionsassistenz Karolin Marhencke,
Katrin Finkemeier
Reihentypographie Daniel Sauthoff
Layout Gabriele Boekholt
Satz PE Proforma *und* Foundry Sans *PostScript,*
QuarkXPress 4.1
Gesamtherstellung Clausen & Bosse, Leck
Printed in Germany
ISBN *3 499 50629 7*

Die Schreibweise entspricht den Regeln
der neuen Rechtschreibung.

INHALT

Die Aura
eines Namens

Als Jean-Paul Sartre am 19. April 1980 in Paris beerdigt wird, folgen mehr als fünfzigtausend Menschen seinem Sarg. Es ist ein Trauerzug, der einer Kundgebung gleicht, einem Bekenntnis zu diesem Toten, der doch nichts repräsentiert, nur ein Philosoph, ein Schriftsteller war. Der Abschied von Sartre gerät zu einem unvergleichlichen Ereignis, bestürzend fast in seiner Mächtigkeit, unendlich beeindruckend in seiner Spontaneität. Kann man es verstehen, kann man die Aura eines Namens verstehen, die Tausende bewegt, um diesen Menschen zu trauern, dem sie, bis auf wenige, nie begegnet sind?

Was ließ den Namen Sartres zum Symbol werden, was begründet die Weise, in der dieser Name für einen Begriff, für ein Bild des Menschseins steht in einer Zeit, in der die metaphysischen Begriffe des Menschen ihre Überzeugungskraft verloren haben? Jean-Paul Sartre: der Denker der F r e i h e i t des Menschen. Einer Freiheit aber, die die Existenz des Einzelnen meint statt ein W e s e n des Menschen bedeuten zu wollen. *Ich kann gewiß nicht eine Freiheit beschreiben, die dem andern und mir selbst gemeinsam ist; ich kann also nicht ein Wesen der Freiheit annehmen.*[1] Meine Freiheit verweist mich allein auf mich selbst, darauf, dass ich es bin, der darüber zu entscheiden hat, wer ich sein will, welche Gestalt mein Leben gewinnt.

Ist Sartres Ruhm dem geschuldet, dass er in einzigartiger Konsequenz die Situation des Menschen beschreibt, der alle metaphysischen Sicherheiten verloren hat, alles Vertrauen darin, dass der Welt ein Sinn eignet, der seine Existenz trägt und umgreift? Dass er von der Endlichkeit, der Wirklichkeit des Menschen spricht statt von seinem ‹Wesen›, einem idealen Selbst, das sich in seiner Reinheit einer unvollkommenen, vernunftlosen Welt entgegensetzt? Und dass er dies tut nicht als Klage über einen Verlust, sondern als ein Sprechen für den endlichen Menschen in der Kontingenz seines Daseins, die seiner Würde, und das ist seine Freiheit, nicht widerspricht?

Es ist sicher zuerst dies, was die Faszination ausmacht, die von Sartres Namen ausgeht. Hier richtet ein Philosoph, entgegen einer machtvollen Tradition, seine Aufmerksamkeit nicht auf den Menschen, wie er z u s e i n h a t gemäß seiner metaphysischen Bestimmung, sondern auf ihn, wie er als ein Einzelner existiert in einer Welt, deren mögliche Wahrheit ihm entgeht. Eine Welt, die s e i n e ist, indem sie sich seinem Blick zeigt, eröffnet, indem seine Freiheit ihr Sinn, Bedeutung gibt – die zugleich und immer schon eine Welt der D i n g e und eine der A n d e r e n ist: eine gegebene, fremde Welt, in der der Einzelne auftaucht, ohne dass sie seiner bedarf, in der er überflüssig ist, z u v i e l, in der er g r u n d l o s existiert. Für Sartre gibt es keine Welt, in der die Dinge, vom Menschen geformt, gestaltet, ihm ein getreues Bild seiner selbst darbieten, in der die Anderen der Spiegel sind, in dem der Einzelne sich wiederzuerkennen vermag. Jenseits dieser metaphysischen Bilder einer Welt der Versöhnung der Freiheit des Einzelnen mit dem widerständigen Sein der Dinge, mit der fremden Freiheit der Anderen beschreibt er die unaufhebbare E i n s a m k e i t der Freiheit, die der Mensch ist. Die sich ihm offenbart im Scheitern all seiner Versuche, ihr zu entfliehen, und sich, sein Dasein als n o t w e n d i g, als gerechtfertigt zu begründen.

Der Philosoph Sartre, der gegen die Versprechen der Metaphysik die Grundlosigkeit der Existenz des Menschen und zugleich seine Freiheit behauptet, ist auch der Schriftsteller, der, was die philosophischen Begriffe nicht zu fassen vermögen, was ihrer Allgemeinheit entgeht, zu bewahren, festzuhalten sucht, indem er dafür eine andere Sprache findet. Erst so erreicht er die Wirklichkeit der Situation des Menschen, erreicht ihn in seiner Einzelheit. Es ist diese Fähigkeit Sartres, der begrifflichen Bestimmung in der Beschreibung der Phänomene menschlicher Existenz eine sinnliche Gestalt zu geben, die seinem Denken Ausstrahlungskraft verleiht weit über ein akademisches philosophisches Publikum hinaus. Mitten in den abstraktesten Analysen von *Das Sein und das Nichts* geht es plötzlich um das Erlebnis des Skifahrens, um den Flirt, die sich widerstreitenden Empfindungen einer umworbenen Frau, um die Bewegungen, Gesten eines Kellners, in denen er dies spielt, Kellner zu sein, um die Erfahrung des ‹Klebrigen›, die Empfindung des Ekels angesichts der wuchernden Lebendigkeit der Dinge, angesichts der Körperlichkeit des eigenen Selbst. In alldem zeichnet er Situationen des Menschseins, die in ihrer scheinbaren Unbedeutendheit Auskunft darüber zu geben suchen, «was es heißt, ein Mensch zu sein». Und zuletzt widmet Sartre Jahre seines Lebens einem *Roman*: dem tausende Seiten langen, unvollendeten Werk über Gustave Flaubert, das auf diese einzige Frage eine Antwort zu geben sucht: «Was heißt es, einen Menschen zu verstehen?» Eine Antwort, die von seiner philosophischen Bestimmung menschlicher Existenz getragen wird – die zugleich d i e s e n e i n z e l n e n M e n s c h e n meint, den kein Begriff erreicht, dem sich eine Erzählung zu nähern sucht, die ihn in der Einmaligkeit, der Unwiederholbarkeit seines Ich erfassen will.

Aber natürlich kann man die literarische Dimension der Philosophie Sartres auch in ihrer pragmatischen Bedeutung betrachten. Dass man sich ihr, dass man sich dem Denken Sartres über seine Erzählungen, Romane und Theaterstücke nähern kann, hat zweifelsfrei seinen einzigartigen Ruhm entscheidend mitbegründet. Die Literatur, das Theater öffnen andere Räume der Wahrnehmung eines Denkens als das hermetische philosophische Werk. Hier muss man die Tradition sehen, der Sartre angehört. Kant, Hegel, Heidegger oder Habermas kann oder mag man sich nicht als Schriftsteller vorstellen. In Frankreich jedoch hat die Figur des Philosophen als «écrivain» eine lange und ehrenvolle Geschichte. Die Neigung der deutschen Interpreten Sartres, ihn im Horizont ihrer Denktradition zu sehen, irrt nicht vollständig, verengt aber die Perspektive, nimmt den anderen Raum nicht wahr, dem Sartre angehört. Es ist, natürlich, der Raum Descartes', aber es ist auch der Raum der Skepsis, der Montaignes, der der «französischen Moralisten», deren Blick sich durch die begrifflichen Systeme hindurch auf die Wirklichkeit des Menschen richtet. Es ist der

Raum Voltaires, seines aufklärerischen moralischen Pathos. Es ist der Diderots, der der scheinbaren ‹Ordnung der Dinge› ihre Gleichgültigkeit, die ‹Zerrissenheit› des Bewusstseins konfrontiert. Sie alle haben sich als «philosophes» und zugleich als Schriftsteller verstanden, die, in skeptischer Distanz zu den Wahrheiten der Metaphysik, das Sein der Menschen, das ihrer Welt zu beschreiben, darzustellen suchen. Deren Sprache sich darum souverän jenseits der Formen, der Grenzen des akademischen Diskurses bewegt, sich an ein öffentliches Publikum wendet statt einzig an die Republik der Gelehrten.

Gehört hierhin das Bild Sartres als des ‹Denkers im Café›, der die Weltlosigkeit einsamer Kontemplation scheut, bewusst den öffentlichen Raum als den Ort seines Denkens wählt? Sartre selbst nennt ein anderes Motiv für seine lebenslange Gewohnheit des Schreibens im Café: *Ich ziehe es vor – oder zumindest werde ich dessen nicht überdrüssig –, mich auf Stühle zu setzen, die niemandem gehören – oder allen, wenn man so will –, an Tische, die niemandem gehören. Aus diesem Grunde gehe ich zum Arbeiten in Cafés, ich gelange zu einer Art von Einsamkeit und Abstraktion.*[2] Der scheinbare Bohemien sucht nichts als einen Ort außerhalb der bürgerlichen Atmosphäre des Besitzes, einen Ort, der ihn von dieser Atmosphäre befreit, ihn a b s t r a k t sein lässt, ein Subjekt des Denkens statt ein bürgerliches Individuum. Und zugleich bekennt Sartre die Eitelkeit dieses Habitus: *Ich will nicht besitzen, zuallererst aus metaphysischem Stolz. Ich genüge mir selbst in der nichtenden Einsamkeit des Für-sich.*[3] Der Habitus wird zur Geste, in der ein Individuum sich und eine p h i l o s o p h i s c h e H a l t u n g stilisiert. Und vielleicht hat ein an Haltungen interessiertes Publikum diese Geste als bedeutender empfunden als Sartre selbst.

Wichtiger ist etwas anderes, das Sartres Namen zu einem Symbol werden ließ: seine öffentliche Existenz als Zeuge einer Moralität, die keiner metaphysischen Versicherung bedarf, um Gewalt, Unrecht, Unterdrückung anzuklagen. Der Freiheit des Menschen, von der Sartre spricht, die er verteidigt, mangelt die Würde einer Wesensbestimmung. Es ist die Freiheit, als die jeder Einzelne geboren wird. Für sie, gegen ihre Verletzung, ihre

Sartre im Dezember 1945 im Café ‹Le Flore›

Missachtung tritt er auf, bewundernd als «Weltgewissen» titu-
liert: ein moralisch Handelnder, der über keine allgemeine Moral verfügt.

Einer übersteigerten Bewunderung, die Sartres Bild zu
dem einer moralischen Instanz erstarren lässt, ist jedoch zu
Recht eine Kritik entgegengetreten, die auf die Widersprüche
und Irrtümer in seinem moralischen und politischen Handeln
verweist. Gemeint ist vor allem sein Verhältnis zum Kommunismus, dessen Parteigänger er in den Jahren von 1952 bis 1956
war, in dem mancher einen Verrat am Credo der Freiheit sieht:
Wie kann ein Sartre ein totalitäres System verteidigen, für das
der Einzelne gleichgültig ist, das seinem Anspruch auf Freiheit

mit zynischer Gewalt begegnet? Wenn das Verhältnis Sartres zum Kommunismus auch tatsächlich aporetisch war und bestimmt von sich widerstreitenden Überzeugungen: In ihm offenbart sich doch die Anfälligkeit eines politischen Handelns, das, in einer Welt der ‹Machtblöcke›, des ‹Kalten Kriegs›, der Konkurrenz der Gewalten über kein anderes Maß als den Gedanken der Freiheit verfügt.

Zugleich hat dieser Gedanke in der Person Sartres eine symbolische Repräsentanz gewonnen. Dies ist wohl einzigartig: Welchen Philosophen oder Schriftsteller vermöchte man in vergleichbarer Weise mit einem Begriff, einem Bild des Menschseins zu identifizieren? Der Name Sartres repräsentiert kein metaphysisches System, keine Morallehre, keine Ideologie. Er steht einzig für die Behauptung der fragilen Wirklichkeit der Freiheit des Menschen. Die Aura dieses Namens verweist auf die Gegenwärtigkeit des Bewusstseins dieser Freiheit. Es ist das Bewusstsein von Individuen in der Kontingenz ihrer Existenz, das sich auf keine von dieser Existenz unabhängige Wahrheit berufen kann, auf keinen Sinn, der der Geschichte, den Geschicken der Menschen zugrunde läge. Sartres Werk will diesem endlichen Bewusstsein Ausdruck und Gestalt geben, will beschreiben, was es heißt, frei zu sein als ein Einzelner in einer gegebenen, mit Anderen geteilten Welt.

Zugleich sucht Sartre im Schreiben, im Raum der Sprache, der W ö r t e r den Ort, der ihn von der Absolutheit der Erfahrung der Kontingenz erlöst, indem er diese Erfahrung darstellt. Am Ende seines Lebens behauptet er diesen seinen Kampf der Wörter gegen die Kontingenz des eigenen Seins als Illusion, als Ausdruck der Macht, mit der die Tradition der Metaphysik auch ihn und sein Denken noch beherrschte. Aber diese Illusion hat begründet, dass er schrieb. Er selbst hat erzählt, wie sie sein ganzes Leben bestimmte, wie schon das Leben des Kindes eines war, das einzig der Welt der Wörter vertraute.

Eine Kindheit aus Wörtern und ihr Zerbrechen

Mangels genauer Auskünfte wußte niemand, angefangen bei mir selbst, wozu ich mich eigentlich auf der Erde herumtrieb.[4]

Mit beinahe sechzig Jahren schaut Sartre auf das Kind, das er war, und sieht ein Wesen, das sich als herkunftslos empfindet, dem nichts das fraglose Recht seines Daseins verbürgt. Ein vaterloses Kind, für das kein Erbe existiert, das es sich anzueignen vermöchte. Dem es verwehrt ist, an der Materialität eines ihm Überlieferten die Sicherheit eines Bildes des eigenen Selbst zu gewinnen. *Einem Eigentümer spiegeln die Güter dieser Welt das eigene Dasein wider; mich lehrten sie erkennen, was ich nicht war: ich war nicht substantiell und dauerhaft; ich war nicht die künftige Fortsetzung des väterlichen Werks. [...] Mit einem Wort: ich hatte keine Seele.*[5]

Am 21. Juni 1905 wird Jean-Paul Sartre in Paris geboren, als Sohn des Marineoffiziers Jean-Baptiste Sartre und seiner Frau Anne-Marie, geborene Schweitzer. Sein Vater stirbt, als er noch keine zwei Jahre alt ist. Seine Mutter zieht mit ihm zu ihren Eltern, die in Paris leben. «Sei vorsichtig, wir sind nicht

Sartre, der, so der Kommentar Simone de Beauvoirs, «sich ins Leben einschifft»

13

Der Vater: Jean-Baptiste Sartre

bei uns zu Hause!», flüstert die Mutter dem Kind zu, wenn es unbefangen lärmt. Wir waren niemals bei uns zu Hause, schreibt Sartre Jahrzehnte später. Sartres Großvater Charles Schweitzer war ein belesener, gebildeter, ‹fortschrittlich› denkender Mann, ein Onkel Albert Schweitzers, mit dem zusammen er ein Buch über Johann Sebastian Bach herausgegeben hat. Er wird für Sartre zu einem Vaterersatz: ein Vater, der Distanz und Respekt bedeutet statt unmittelbare Nähe. Charles Schweitzer war Deutschlehrer, Sartres Kenntnisse der deutschen Kultur haben hier ihre biographischen Wurzeln. Bis zu seinem zehnten Lebensjahr besucht er keine öffentliche Schule, sondern wird von seinem Großvater unterrichtet. Er lebt behütet und umsorgt, aber in dem Empfinden, ein Gast zu sein, einer, der nicht unbedingt dazugehört. Nicht ohne Sentiment erinnert er die Faszination, die er empfand, als er ein Fest erlebte, dessen Glanz getrübt war, weil eine bestimmte Person nicht anwesend war, und die Sehnsucht des Kindes, dass er diese Person wäre, dass es hieße: «Einer fehlt hier, das ist Sartre!»

Was [Albert] Schweitzer am Alten [Charles Schweitzer] geärgert hatte, stört ihn auch am Enkel; er nannte es das Unfeine, herausfordernd Zynische. Was ihn aber beim Nachkommen faszinierte, war der moralisch-puritanische Hintergrund, der plötzlich, eine Generation überspringend, wieder da war; ein Gestaltungsvermögen, gepaart mit einem menschlichen Verantwortungsbewusstsein, dessen ursprünglich religiöse Wurzeln nur wenigen sichtbar sind und dessen äußere Manifestationen nach französischer Art – wie schon bei Romain Rolland – Ethik und politische Aktivität eng verbinden.

Robert Minder

Dieser Sehnsucht, unbedingt dazuzugehören, unersetzlich zu sein für das Leben der Anderen, der natürliche Erbe ihrer Werte und Besitztümer, widerstreitet in der Reflexion des Erwachsenen das Bewusstsein der Freiheit, die die Vaterlosigkeit bedeutet: *Hätte mein Vater weitergelebt, er hätte mich mit seiner ganzen Länge überragt und dabei erdrückt. Glücklicherweise starb er sehr früh; [...] ich ließ hinter mir einen jungen Toten, der nicht die Zeit hatte, mein Vater zu sein, und heute mein Sohn sein könnte. War es ein Glück oder ein Unglück? Ich weiß es nicht; aber ich stimme gern der Deutung eines bedeutenden Psychoanalytikers zu: Ich habe kein Über-Ich.*[6]

Die Mutter: Anne-Marie Sartre, geborene Schweitzer

Aber was für den Erwachsenen Freiheit bedeutet, ist im Empfinden des Kindes Ortlosigkeit, Fremdheit. Dieses Kind, von dem Sartre erzählt, besitzt nichts, das ihn einer bestimmten Gestalt seines Lebens versicherte. Die Dinge sind da, um ihn herum, aber sie g e h ö r e n ihm nicht, sind darum bedeutungslos, fremd. Die Welt hat eine Ordnung, die von Anderen gemacht ist, in der Menschen und Dinge den ihnen angestammten Platz einnehmen, aber *ich habe einen Sitz für mich allein, an der Seite*[7].

Das ‹seelenlose› Kind empfindet sein Dasein als ein Außerhalb zur Welt, aus ihr her kommt ihm keine Wirklichkeit, keine Bedeutung. Aber es entdeckt eine andere, wahrere Welt, die zu seiner wird: die Welt der Bücher, die der W ö r t e r. Wörter, die nicht abbilden, was ist, sondern die die Dinge in ihrer Bedeutung erst erschaffen, indem sie sie benennen und beschreiben. In den Wörtern, in den Bildern und Begriffen, die sie bilden, offenbart sich dem Kind die Macht der Einbildungs-

Sartre
mit seiner
Mutter,
nach dem
Tode des
Vaters

kraft, zeigt sich ein Reich, an dessen Glanz gemessen die Welt draußen als schattenhaft erscheint. *Außerhalb der Zimmerwände traf man auf matte Entwürfe, die sich mehr oder weniger den Archetypen annäherten, ohne deren Vollkommenheit zu erreichen.*[8] Innerhalb der Wände, lesend, schaut man die ‹Urbilder›, lebt man und bewegt man sich in der wahren Welt, deren Medium die Wörter sind. Sein Zimmer, dieser *Sitz für sich allein*, wird dem Kind zum *Hochsitz*, den es nur scheinbar verlässt, wenn es die mit anderen geteilte, gemeinsame Welt bewohnt. Ironisch beschreibt Sartre den Größenwahn dieses Kindes, das sein Selbst darin sucht, Einbildungskraft zu sein. *Wenn meine Mutter mit mir in den Garten des Luxembourg ging – also täglich –,*

gewährte ich den Niederungen meine Hüllen, aber mein verklärter
Leib verließ nicht seinen Hochsitz, ich glaube, er ist immer noch dort
oben. [...] Mein Standort ist ein sechster Stock in Paris mit Aussicht
auf die Dächer.[9]

Die Liebe zu den Wörtern, der Platonismus des Kindes, für
das die Ideen der Dinge eine größere Wahrheit besitzen als diese selbst, erwächst aus seiner Ortlosigkeit. Dieses Kind, das von
seiner Mutter vorbehaltlos geliebt wird, das die Zuneigung seiner Großeltern besitzt – es vermag doch nichts als sein Eigen-
tum zu empfinden, als etwas, das ihm fraglos zugehört und
ihm bedeutet, w e r er ist. Und zugleich bedeuten ihm die Anderen in der Welt draußen, dass er anders ist, nicht zu ihnen gehört. Das Kind, das hochmütig mit seiner Mutter durch den
Garten des Luxembourg spazieren geht, erfährt, dass die, zu denen es doch gehört, seine Altersgenossen, ihn meiden, wenn er
sich ihnen zu nähern versucht.

Das Motiv des Hochsitzes, eines Orts außerhalb und ober-
halb der Welt der Menschen, von dem aus man sie anteilslos
betrachten kann, bleibt bestimmend für Sartre. In seiner 1939
erschienenen Erzählung *Herostrat* bekennt deren ‹Held›, ein
Amokläufer, der es ablehnt, als Anarchist zu gelten, weil, so
seine Begründung, die Anarchisten die Menschen auf ihre Art
lieben: *Auf dem Balkon einer sechsten Etage – dort hätte ich mein*
ganzes Leben zubringen sollen. Man muß die moralische Überlegen-
heit durch ein gegenständliches Symbol stützen, sonst bricht sie in
sich selber zusammen. Was ist nun, genaugenommen, meine Über-
legenheit über die Menschen? Meine erhöhte Position, das ist alles: ich
habe mich über das Menschliche in mir selbst erhoben und betrachte
es.[10] Man muss, so das Credo dieses einsamen Heros, *die Men-*
schen von oben sehen. Ich löschte das Licht und stellte mich ans Fens-
ter: sie ahnten nicht einmal, daß man sie von oben beobachten konn-
te. Sie sehen von vorn und bisweilen auch von hinten gepflegt aus,
aber ihre ganze Wirkung ist auf Betrachter von einem Meter siebzig
abgestellt. Wer hat sich schon einmal den Anblick einer ‹Melone›,
von der sechsten Etage aus gesehen, vorgestellt? Sie sollten ihre Schul-
tern und Schädel unter lebhaften Farben und hellen Stoffen verhül-
len; sie verstehen es nicht, gegen den großen Feind des Menschlichen

zu Felde zu ziehen: die Perspektive von oben. Ich beugte mich zum Fenster hinaus und mußte lachen: wo blieb denn ihr berühmter ‹aufrechter Gang›, auf den sie so stolz waren? Sie waren auf den Fußsteig gequetscht, und zwei lange, halb kriechende Beine kamen unter ihren Schultern hervor.[11] Die Szene erinnert in verblüffender Weise an eine, die Descartes in seinen «Meditationen» beschreibt – als wenn Sartre sich aus existentieller Erfahrung mit der Weltlosigkeit des reinen «Ich denke» identifiziert hätte, für das alles Wirkliche fragwürdig, zweifelhaft geworden ist. «Doch da sehe ich», schreibt Descartes, «zufällig vom Fenster aus Menschen auf der Straße vorübergehen, von denen ich [...] gewohnt bin, zu sagen: ich sehe sie, und doch sehe ich nichts als die Hüte und Kleider, unter denen sich ja Maschinen bergen könnten.»[12] Der Blick Descartes' leugnet die unhintergehbare Anwesenheit der Anderen, anerkennt keine andere Evidenz als die des eigenen Ich. Die Wirklichkeit oder eben Unwirklichkeit der Anderen ist der Gegenstand eines U r t e i l s, das ich fälle. Sartre, der von sich, seiner einzelnen Existenz spricht statt von einem metaphysischen Selbst, identifiziert sich doch mit dem Ort, der Perspektive dieses Selbst.

Ironisch beschreibt er am Ende seines Lebens dieses Pathos des einsamen Ich, das über die Wirklichkeit der Welt und der Anderen entscheidet, ihr ihre mögliche Bedeutung erst gibt. Und doch, so Sartre, *ohne diese Grundillusion hätte ich niemals geschrieben*[13]. Aus dem Empfinden der Ortlosigkeit, des Grundlosen des eigenen Daseins erwächst der maßlose Anspruch, diesseits der Welt ihr ihren Grund erst zu geben, in der Abgeschlossenheit eines einsamen Schöpfertums. Das eigene Selbst wird einem metaphysischen Traum gleich: Es wird der Grund sein einer wahren Welt, die souverän ist gegenüber den

Als Sartres autobiographische Darstellung seiner Kindheit erscheint, «konnte eigentlich niemand dem Familienporträt, der von dem Schriftsteller gebotenen Interpretation der soziokulturellen Entstehungsbedingungen des genialen Kindes etwas entgegensetzen – außer seiner Familie. Seine Mutter, Madame Mancy, versäumte nicht, ihm vorzuhalten, er habe von seiner Kindheit nichts begriffen, und Tante Adèle schrieb sofort einen Brief voller Empörung über das schäbige Porträt der Familie Schweitzer.»
Annie Cohen-Solal: Sartre.
1905–1980

Das Kind als hochmütiger Platonist

gleichgültigen, vergänglichen Gestalten ihrer Erscheinung. Es wird *substantiell*, dauerhaft werden, sein eigener Grund sein, indem es schreibend eine Wirklichkeit schafft, die ihrem matten Abglanz, der Welt der Menschen und der Dinge, vorausliegt und sie überragt. Im originären Glanz ihrer Gestalt spiegelt sie ihrem Autor, ihrem Schöpfer die überlegene Wahrheit seines Daseins, dies, dass er einzig existiert, um zu schreiben. *Ich war*, so Sartre, *ein Waisenkind ohne Vater. Da ich niemandes Sohn war, wurde ich meine eigene Ursache, ein äußerster Fall von Stolz und von Elend. [...] Um der Verlassenheit des Geschöpfes zu entgehen, erschuf ich mir die unwiderruflichste bürgerliche Einsamkeit: die Einsamkeit eines Schöpfers.*[14]

Das Kind nimmt sich wahr als berufen. Es weiß nicht, was es zu sagen hat, nur dies, dass es zum Sagen, zum Schreiben geboren wurde. An dieser Berufung, an ihrer strahlenden Evidenz zerbrechen die Maßstäbe der es umgebenden Welt, angesichts ihrer verblasst die Kränkung, in dieser Welt keinen Ort zugewiesen bekommen zu haben, der sein Dasein rechtfertigte. In der Empfindung, der Welt der Wörter anzugehören, blickt das Kind auf sich und seine zufällige Existenz vom imaginären Standpunkt eines Ewigen, des Reichs des Geistigen her. Seine Aufgabe stand fest, von allem, vom Anfang aller Zeiten an. Es wird sie erfüllen, auch dies steht fest, gemäß seiner Bestimmung. Sartre beschreibt das Selbstgefühl dieses Kindes, das sich mit den Augen des Geistes ansieht, gleichgültig gegenüber der Wirklichkeit seines Lebens und der der Zeit, die die einzige, einzigartige dieses Lebens ist. *Für mich war ich der Anfang, die Mitte und das Ende, alles vereinigt in einem ganz kleinen Jungen, der bereits alt und tot war [...]. Ich war das Korpuskel am Beginn seiner Bahn und der Wellenzug, der wieder zurückströmt, nachdem er sich am Ziel gebrochen hat. Alles war beisammen, alles war kondensiert, mit einer Hand berührte ich mein Grab und mit der anderen meine Wiege.*[15]

Die Zeit des eigenen Lebens erscheint einzig als der Zeitraum, dessen es bedarf, den Auftrag einer imaginären Instanz zu erfüllen: ein Werk zu schaffen. Den Tod muss dieses Kind nicht fürchten, solange es die Gewissheit seiner Berufung festzuhalten vermag, den Tod als ein zufälliges Ereignis, das seine Ziele zunichte macht, ohne dass in dieser absoluten Zerstörung ein Sinn läge. Denn sein Auftrag schützt es vor der Beunruhigung durch die Endlichkeit des eigenen Seins. Der Tod wird zur beruhigenden Metapher für die Abgeschlossenheit des Werks, er wird seiner existentiellen Bedeutung beraubt, ein Ereignis am Rande des einzig bedeutungsvollen Raums des Geistes. Ironisch und melancholisch zugleich beschreibt Sartre diese Flucht in die Räume des Geistes, diese Illusion, die ihn über Jahrzehnte bestimmte, einen imaginären Ort zu bewohnen, geschützt vor den Unwägbarkeiten des Lebens: *Der Heilige Geist hatte bei mir ein umfangreiches Werk bestellt, folglich mußte er mir die Zeit lassen, es zu vollenden. Mein Tod war ein ehrenvoller Tod, also schützte er mich gegen das Eisenbahn-*

unglück, den Schlaganfall, die Bauchfellentzündung. [...] im Grunde hielt ich mich in der Tat für unsterblich: ich hatte mich im voraus getötet, denn nur die Abgeschiedenen sind in der Lage, die Unsterblichkeit zu genießen.[16]

Es ist zuerst der Schock des Gewahrwerdens seiner Natürlichkeit, seiner Körperlichkeit, der das Kind scheinbar von seinem Wahn zu heilen scheint. Als er sieben Jahre alt ist, beschließt sein Großvater, Sartres mädchenhaftem Aussehen ein Ende zu bereiten, ihn entgegen den verliebten Illusionen seiner Mutter endlich als Jungen, als ‹Mann› erscheinen zu lassen. Seiner engelsgleichen Locken beraubt, zeigt sich das Kind plötzlich für alle in seiner Hässlichkeit: Der Großvater hatte vom Friseur *eine Kröte zurückgebracht*[17]. Ein Schock: Die Anderen entziehen ihm ihre Bewunderung, beginnen, ihn kritisch anzublicken. Er flüchtet sich an seinen einsamen Ort, in seine einsame Wahrheit – nur um zu entdecken, dass diese Wahrheit nicht existiert, dass da nur eine Leere ist und sein Spiegelbild, das ihn erschreckt.

Also versucht er, um sich zu retten, seine Berufung zu vergessen, ‹normal›, ‹gewöhnlich› zu sein. Er entzieht sich dem *Familientheater*, erlebt, endlich mit zehn Jahren von seinem Großvater in eine allgemeine Schule entlassen, als Gymnasiast des Lycée Henri IV. das Glück der Kameradschaft: *Ich, der Ausgestoßene der Spielplätze, war mit größter Selbstverständlichkeit aufgenommen worden, galt vom ersten Tag an als zugehörig: Ich konnte mich darüber nicht beruhigen. [...] ich jubelte innerlich.*[18] Aber dieser Jubel, endlich dazuzugehören, einer unter anderen zu sein, ohne sich rechtfertigen zu müssen – ein Glück, das sich wiederholt für den Studenten Sartre der École normale supérieure, das er sogar als Soldat, als Kriegsgefangener der Deutschen empfindet als das Glück, Teil einer Gemeinschaft zu sein – dieser Jubel lässt ihn doch zuletzt seinen Auftrag nicht vergessen. Er verdrängt ihn nur, lässt ihn darin umso größere Mächtigkeit über ihn gewinnen: *Meine falsche Mission* blieb sich selbst überlassen, *nahm Gestalt an und tauchte schließlich in meine Nacht hinab; ich sah sie nicht wieder, sie machte mich und übte in jeder Weise ihre Anziehungskraft aus.* Mein Auftrag ist

21

Sartre als Achtzehnjähriger

zu meinem Charakter geworden, mein Delirium verließ meinen Kopf, um sich in meine Glieder zu ergießen.[19]

Dieser *Charakter* ist der eines Menschen, der das Empfinden seiner Ortlosigkeit umwendet zu dem seiner Souveränität. Der Gymnasiast Sartre, der aufgrund der Wiederverheiratung seiner Mutter – sie heiratete Joseph Mancy, wie Sartres Vater ein Absolvent der École polytechnique: Der eifersüchtige Sartre beschreibt seinen Stiefvater als einen ‹stahlharten Unternehmer›, als ziemlich unfreundlich obendrein – als Zwölfjähriger Paris verlassen muss und nach La Rochelle zieht, konfrontiert seine provinziellen Kameraden mit der Attitude des kindlichen Bohemien, gelangweilt von ihrer biederen Bürgerlichkeit. Der Student Sartre ist stolz darauf, dass seine Kommilitonen ihn als jemanden ansehen, der keine Herkunft, keine Familie zu haben scheint: ein Einzelner, der einzig aus sich selbst heraus sein Leben führt. Aber dieses Selbst bleibt getragen von seiner Mission. Er hat den Idealismus seiner Kindheit hinter sich gelassen. Er weiß um seine Natürlichkeit, seine Hässlichkeit, seine K o n - t i n g e n z. Aber er ist berufen, dies zu sagen: dass alles, was existiert, ohne Grund ist, da ist, ohne dass ein Sinn dieses schiere Dasein trüge.

«Ich war zwanzig. Niemand soll sagen, das sei die schönste Zeit des Lebens.» Das schreibt nicht Sartre, sondern der vielleicht einzige wirkliche Freund, den er in seinem Leben besaß: Paul Nizan. «Alles droht einen zu vernichten: die Liebe, die Ideen, der Verlust der Familie, der Eintritt in die Welt der Erwachsenen. Es ist schwer, seinen Part in der Welt zu lernen.»[20] Nizan und der gleichaltrige Sartre sind Freunde seit ihrer gemeinsamen Zeit im Lycée Henri IV, an das Sartre 1920 zurückgekehrt war, sie bleiben es als Studenten der École normale supérieure. Sie waren ‹ein Paar›, wurden oft miteinander verwechselt. Diese Verwechslung, schreibt Sartre zwanzig Jahre

Sartre und Nizan als Kommilitonen der École normale supérieure, um 1928

nach dem Tod des Freundes, der 1940 gefallen ist, getötet durch die Kugel eines Deutschen, war *zu unserem sozialen Status geworden, und wir hatten uns schließlich damit abgefunden. […] Er schielte, wie ich, aber in der entgegengesetzten Richtung, das heißt auf eine angenehme Art. Mein Schielen nach außen machte aus meinem Gesicht ein Brachfeld; er schielte nach innen, und das gab ihm den Anschein von spöttischer Geistesabwesenheit, selbst wenn er uns zuhörte.*[21]

Nizan und Sartre, die Zwanzigjährigen, sind eins in ihrem Gestus des Genialischen, des intellektuellen Bohemiens. Sie sind zugleich unendlich weit voneinander entfernt. Da ist Sartres Optimismus, den ihm das Gefühl seiner Berufung, der unendlichen Bedeutung der Wörter verleiht, sein Auftrag, der ihn vor der Angst schützt, ihn sich unsterblich wähnen lässt. Und da ist Nizans Besessenheit von dieser Angst, der dauernde Schrecken des Todes. Sartre begreift dies erst Jahrzehnte später: *Der zwanzigjährige Nizan betrachtete die Frauen und die Autos und alle Güter dieser Welt mit verzweifelter Hast: Man mußte alles sogleich sehen und sogleich ergreifen. Ich betrachtete auch, aber mehr aus Wissensdurst als aus echter Begier.*[22] Und da ist Nizans Verzweiflung an einer erdrückenden bürgerlichen Ordnung, die samt ihrem scheinhaften Humanismus vernichtet werden muss, wenn Menschen leben können sollen. Nizan wird Kommunist. Sartre missversteht diesen radikalen Schritt als eine Geste innerhalb des Raums der Boheme: *In diesem echten Bedürfnis Nizans, sich mit Menschen zusammenzutun, die gemeinsam die Steine wegheben, die sie erdrückten, wollte ich nichts anderes sehen als die Extravaganz eines Dandys: Er war Kommunist, wie er ein Monokel trug, aus einer gewissen Lust daran, Anstoß zu erregen.*[23] Nizans Getriebensein, dass er sich in seinem Lebenkönnen bedroht fühlt durch die Kälte und den Zwang der bürgerlichen Ordnung, dies prallt an Sartre, seiner Gewissheit ab. *Was mich betraf, so fand ich es schön, daß diese Ordnung existierte und daß ich Bomben auf sie werfen konnte: meine Worte.*[24]

Nizan lernt seinen Part in der Welt. Er verlässt mit einundzwanzig Jahren Europa, nur um es in Aden, dem Namen für eine andere Welt, wiederzufinden, in konzentrierter, in seiner Hässlichkeit konzentrierter Gestalt. Eine Flucht, ein letzter individueller Ausweg ist misslungen. Zurückgekehrt, wird Nizan zum erfolgreichen kommunistischen Funktionär und etabliert sich als Autor. 1931 erscheint «Aden», ein Jahr später «Die Wachhunde», ein Pamphlet wider die Philosophie als Deutungsmagd der Bourgeoisie. Sartre steht am Rande, namenlos, ein Privatier der Gedanken, der Wörter. Nizan unternimmt eine lange Reise in die Sowjetunion – und gesteht Sartre nach seiner Rückkehr, dass selbst dort, im Land der Revolution, die Menschen an den Tod denken, die Angst vor dem Tod nicht überwunden sei. Am Tag nach dem Bekanntwerden des Hitler-Stalin-Paktes tritt Nizan aus der Kommunistischen Partei aus. Sartre und er sehen sich zum letzten Mal im Juli 1939. Sartre wird es sein, der Nizans Werk, seinen Namen, den die Kommunisten verleumden, vor dem Vergessen bewahrt.

Nizans Leben findet mit fünfunddreißig Jahren ein brutales Ende. Sartres Leben, das, was er unter seinem Leben versteht: ein berühmter Schriftsteller zu sein, beginnt erst, als er dreiunddreißig Jahre alt ist. 1938 veröffentlicht Sartre seinen ersten und bedeutendsten Roman, *Der Ekel*, der ein einziges Thema hat: die Unausweichlichkeit der Erfahrung der Kontingenz. Sartre stellt dem Roman einen Satz Célines voran, der auf seinen ‹Helden› – und das heißt hier auf ihn selbst – verweist: «Das ist ein Bursche ohne kollektive Bedeutung, das ist ganz einfach nur ein Individuum.»

Der Beauftragte des Geistes beschreibt sich – in der Figur des Antoine Roquentin – in der unausweichlichen Zufälligkeit seiner Existenz: ein Einzelner, allein, ortlos, in einer erstarrten Gegenwart lebend, ohne ein Ziel, ohne Herkunft. Eine Gegenwart, die in zusammenhanglose Momente zersplittert ist, denen keine Folge, keine Ordnung eignet. Diesem Einsamen offenbart sich ineins mit der eigenen Kontingenz die der Dinge, dies, dass ihre Formen, ihre Gestalten nur ein Schein sind, der die eine, einzige Wahrheit verschleiert: Die Wirklichkeit ist nichts als ein sinnloses Wuchern des Lebendigen, ekelhaft in seiner grenzenlosen, bestimmungslosen Allgegenwärtigkeit, seinem maßlosen, trägen Überfluss. Roquentin verfügt über keinen *Hochsitz* mehr, von dem her er eine ideale Welt der Formen zu erblicken vermöchte. Was sich ihm einzig zeigt, ist schiere, sich aufdrängende Materialität. Eine Gewalt, die ihn selbst in sich aufzusaugen droht. *Die Vielfalt der Dinge, ihre Individualität waren nur Schein, Firnis. Dieser Firnis war geschmolzen, zurück blieben monströse und wabbelige Massen, ungeordnet – nackt, von einer erschreckenden und obszönen Nacktheit. [...] Zuviel: Das war der einzige Bezug, den ich zwischen diesen Bäumen, diesen Gittern, diesen Kieseln herstellen konnte. [...] Und ich – auch ich war zuviel.*[25] Die Welt der Wörter zerbricht an der Absurdität einer absoluten Anwesenheit. Durch die Wörter, den Kosmos der Ordnung, den sie bedeuten, scheint das gestaltlose, sinnlose Faktum des Seins, der Existenz hindurch, eine absolute Wahrheit, die nichts bedeutet, auf nichts verweist als auf sich selbst. *Die Welt der Erklärungen und Gründe ist nicht die der Existenz. Ein Kreis ist nicht absurd, er erklärt sich sehr gut aus der Umdrehung einer Geraden um einen ihrer Endpunkte. Aber ein Kreis existiert auch nicht.*[26]

Der Idealismus des Kindes, der es erretten sollte vor der Empfindung der Grundlosigkeit des eigenen Daseins, weicht dem Bekenntnis zur Kontingenz alles Seienden. In aller Deutlichkeit formuliert Sartre dieses Bekenntnis, das sein Denken fortan bleibend bestimmt, unangesehen seiner Kehren und Brüche. *Das Wesentliche ist die Kontingenz. Ich will sagen, dass die Existenz ihrer Definition nach nicht die Notwendigkeit ist. Existieren, das ist dasein, ganz einfach; die Existierenden erscheinen, lassen sich antreffen, aber man kann sie nicht ableiten. Es gibt Leute, glaube ich, die das begriffen haben. Nur haben sie versucht, diese Kontingenz zu überwinden, indem sie ein notwendiges und sich selbst begründendes Sein erfanden. Doch kein notwendiges Sein kann die Existenz erklären: die Kontingenz ist kein Trug, kein Schein, den man vertreiben kann; sie ist das Absolute, folglich die vollkommene Grundlosigkeit.*[27]

Aber auch jetzt noch ist da der *Heilige Geist*, besteht sein Auftrag fort. Sartre i s t Roquentin. Aber zugleich ist er der, der ihn, seine Wahrheit, beschreibt – vom immateriellen Ort des Denkens her. Der Schriftsteller, der Philosoph Sartre bewahrt eine Dimension der Idealität seiner Existenz, indem er deren Kontingenz d e n k t – statt sie einzig zu s e i n. In der Differenz, die das Denken des Seins des Menschen von diesem Sein

Porträt Sartres
von Gisèle Freund,
1939

trennt, hält er, jenseits der Räume der Metaphysik, im Angesicht der Absolutheit der Erfahrung der Kontingenz an einem imaginären Ort außerhalb der Welt fest. Ein Rest metaphysischer Hybris? Sartre selbst sieht es so, spricht vom Ende seines Lebens her von der Selbsttäuschung, in der er sich als der, der die Wahrheit über das Dasein ausspricht, dieser Wahrheit enthoben empfand. *Ich war Roquentin, ich zeigte an ihm ohne Gefälligkeit das Muster meines Lebens; zu gleicher Zeit war ich aber auch ich, der Erwählte, der Chronist der Hölle, war ich das Fotomikroskop aus Glas und Stahl, das auf mein eigenes zähflüssiges Protoplasma gerichtet war. [...] Ich war ein Gefangener der Evidenzen, aber ich sah sie nicht; ich sah die Welt mit ihrer Hilfe; [...] so schrieb ich heiter über das Unglück unseres Daseins.*[28]

Zugleich ist es vielleicht diese metaphysische Heiterkeit des Chronisten, die Sartre über den Ekel angesichts des Daseins hinausführt, die die Melancholie Roquentins besiegt, ihre Unbewegtheit, Teilnahmslosigkeit. *Melancholia* war der ursprüngliche Titel des Romans *Der Ekel.* Im Gedanken der Freiheit konfrontiert Sartre der Schwere der Melancholie die Fähigkeit des Menschen, nein zu sagen. Nein zu sagen angesichts dieser sinnlosen, wuchernden Anwesenheit des Lebendigen. Nein zu sagen angesichts dieses stummen Urteils des Zuviel, das von einer gleichgültigen Wirklichkeit her an mich ergeht.

Als Sartre 1938 *Der Ekel* veröffentlicht, ist das für den Dreiunddreißigjährigen sein erster wirklicher Erfolg. Das Buch macht ihn, zusammen mit der im selben Jahr erscheinenden Novellensammlung *Die Mauer,* auf einen Schlag berühmt. Bis dahin ist sein Leben das eines namenlosen Philosophielehrers, immerhin seit 1937 in Paris, nach langen Jahren in der Provinz: Von 1931 bis 1936 war Sartre Gymnasiallehrer in Le Havre. Die Welt hat sich ihm und seiner Berufung gegenüber gleichgültig gezeigt. Seine Manuskripte werden von den Verlagen abgelehnt, auch *Der Ekel* wurde

Der Sturm, den wir entfesselt hatten, überraschte uns. Plötzlich, wie in manchen Filmen das Bild seinem Rahmen entwächst, sprengte mein Leben seine früheren Grenzen. Ich wurde ins Rampenlicht geschoben. Mein Gepäck war leicht, aber man verband meinen Namen mit dem Sartres, dessen sich der Ruhm brutal bemächtigte. Es verging keine Woche, ohne daß in den Zeitungen von uns die Rede war.
Simone de Beauvoir:
Der Lauf der Dinge

vom Verlag Gallimard erst nach langem Zögern und einer ersten eindeutigen Absage angenommen. Sartre lässt sich in diesen Jahren des Misserfolgs, der Depressionen und Selbstzweifel doch zuletzt in seiner Mission nicht erschüttern. Er schreibt, verfolgt sein großes Thema der Kontingenz, arbeitet an einer Theorie der Imagination. Dies alle Träume vom Ruhm des Schriftstellerlebens enttäuschende Dasein wird einzig unterbrochen durch einen Studienaufenthalt in Berlin im Jahr 1933. Sartre scheint hier nicht viel wahrgenommen zu haben von dem beginnenden Schrecken, der ihn umgab. Er lebt seiner jüngsten Entdeckung: der Phänomenologie Husserls, in der er die Verweltlichung des cartesischen Ich feiert, die er zu über-

Berlin, Brandenburger Tor, um 1935

bieten trachtet in der Darstellung des In-der-Welt-Seins des Ich, inspiriert von Heidegger und doch ganz im Raum seines eigenen Denkens. Er lebt in Texten und Gedanken, ohne viel Aufmerksamkeit für die Wirklichkeit um ihn her, die Zeichen der Gewalt, die die Atmosphäre der Stadt bestimmen. Er kehrt zurück, ohne einen anderen prägenden Eindruck als den seiner philosophischen Studien erfahren zu haben. Er liest, er unterrichtet, er schreibt. Das ist seine Existenz – fern des politischen Geschehens, scheinbar unberührt von der Gewalt, die schon bald die Welt heimsuchen wird. Jahrzehnte später aber spricht er von der Erfahrung des faschistischen Deutschlands als seiner ersten *gesellschaftlichen Erfahrung*, die ihm als solche zuerst unbewusst blieb: *Es hatte doch schon Wirkungen auf mein Denken und mein Leben gehabt – nur begriff ich es noch nicht. Nazideutschland brachte mich lediglich in Wut.*[29]

Der oberflächliche Besucher hatte nicht den Eindruck, daß auf Berlin eine Diktatur lastete. Die Straßen waren belebt und fröhlich; ihre Häßlichkeit erstaunte mich. […] Ich trank Bier in gewaltigen Bierhäusern. Eines bestand aus einer ganzen Flucht von Sälen, und drei Orchester spielten gleichzeitig. Um elf Uhr morgens waren alle Tische besetzt, die Leute hakten sich unter und schunkelten singend. «Das ist *Stimmung*», erklärte mir Sartre.

Simone de Beauvoir: In den besten Jahren – über ihren Besuch in Berlin 1933

Sein Anarchismus, der Hass Roquentins auf die Lügen und Selbsttäuschungen des Bürgertums zeigt sich einzig in der Gestalt, die er seinem ‹privaten› Leben gibt. Er ist einer Frau begegnet, die sein anarchisches Ethos teilt und sich gerade darin an ihn bindet: Simone de Beauvoir. Durch sie und mit ihr kann er sein Leben lang beides sein: der Solitär und der Liebende, frei und gebunden zugleich. Seit ihrem Zusammentreffen 1929 in der Abschlussklasse der École normale supérieure, das zuerst eines der gemeinsam Philosophierenden war, dann zum Ereignis der Liebe wurde, versuchen beide zu leben, was sie als die einzig wahre Gestalt der Liebe entworfen haben: Aufrichtigkeit, kompromisslose Offenheit, Verzicht auf Ausschließlichkeit, auf eine Treue, die die Freiheit des Begehrens einzig im Namen des Besitzes unterdrückt. Dieser Entwurf der Liebe bestimmt allerdings zugleich die Grenzen der Offenheit: Die Liebe versichert sich ihrer Außerordentlichkeit und Privilegiertheit gegenüber den Ansprüchen Dritter. Beide sprechen ihr den Status der N o t w e n d i g k e i t zu – gegenüber der Kontingenz des Begehrens, der Flüchtigkeit seiner Bedeutung. Und sie erleben den Widerstreit von programmatischem Entwurf und der Wirklichkeit des eigenen Empfindens, der Wirklichkeit von Angst des Verlassenwerdens, von Eifersucht und Hass.

Simone de Beauvoir (1908–86) und Sartre lernen sich 1929 an der École normale supérieure kennen, kurz vor ihrem Staatsexamen, das er als der Erste der siebenundzwanzig Zugelassenen besteht, mit nur knappem Vorsprung vor ihr, der um drei Jahre Jüngeren.

In ihren mehrbändigen Memoiren hat sie ihr Leben mit Sartre dargestellt, im Schatten dessen sie als Philosophin stand, mit dem zusammen sie zugleich ihren Entwurf einer intellektuellen Existenz als Frau verwirklichte. Ihr Roman «Die Mandarins von Paris» ist ein Schlüsseltext der Pariser intellektuellen Szene der fünfziger Jahre, für den sie den «Prix Goncourt» erhielt. Ihr Buch «Das andere Geschlecht» ist zum Klassiker der Frauenbewegung geworden.

Kaum bekannt sind ihre eigenen philosophischen Schriften, die ihr Zentrum in der Frage nach der Möglichkeit der Begründung einer Moral haben. «Warum soll ich eine eigene Philosophie entwickeln», bemerkt sie lakonisch, «wenn die Sartres mich vollkommen überzeugt?» Hätte es diese Philosophie gegeben, wenn es Sartre in ihrem Leben nicht gegeben hätte?

Sartre und Simone de Beauvoir im Sommer 1939

In ihrem Roman «Sie kam und blieb» hat Simone de Beauvoir diesen Widerstreit beschrieben – ohne dass sie oder Sartre darum die I d e e ihrer Liebe aufgegeben hätten.

Inmitten dieser seiner ‹privaten› Dramen der Freiheit arbeitet Sartre, scheinbar unberührt durch sein Nichtbeachtetwerden, an seinem Werk. Ein Jahr vor *Der Ekel* erscheint 1937 in den «Recherches philosophiques» das Dokument seiner Auseinandersetzung mit Husserl: *Die Transzendenz des Ego.* 1939 veröffentlicht er, nunmehr getragen von der Aufmerksamkeit des Publikums, was er zuvor den Schubladen des Schreibtisches anvertrauen musste: Die *Skizze einer Theorie der Emotionen,* in der zentrale Motive von *Das Sein und das Nichts* wie seiner Studie über Flaubert Gestalt gewinnen. *Wenn man,* heißt es hier wider eine metaphysische Anthropologie, *eine Disziplin, die das Wesen des Menschen und die conditio humana zu definieren suchte, Anthropologie nennt, ist die Psychologie – selbst die Psychologie des Menschen – keine Anthropologie und wird es nie sein. Sie will den Gegenstand ihrer Untersuchung nicht a p r i o r i definieren und begrenzen. Ihr Begriff vom Menschen ist ganz empirisch: Es gibt auf der Welt eine bestimmte Anzahl von Geschöpfen, die der Erfahrung analoge Merk-*

male darbieten.[30] Ein Jahr später erscheint *Das Imaginäre*: Seine Darstellung der Potenz der Einbildungskraft, der Potenz des endlichen Menschen, Bilder des Wirklichen hervorzubringen statt eine gegebene Wirklichkeit nur aufzufassen, in seinem Bewusstsein abzubilden. Die Freiheit des Menschen, die seiner Einbildungskraft ist es, die über die Wirklichkeit der Welt entscheidet. Es gibt keine Wirklichkeit dieser Welt diesseits der Bedeutungen, die endliche Menschen ihr verleihen.

In all dem wächst heran, was Sartres Hauptwerk sein wird und die vorläufige Essenz seines Denkens darstellt. Mitten im Krieg erscheint 1943 im besetzten Paris *Das Sein und das Nichts*. Ein Krieg, der Sartre aus einem Leben, das einzig dem Schreiben galt, herausgerissen hat. Der ihn mit brutaler Macht erfahren ließ, dass er Teil einer geschichtlichen Welt ist statt der souveräne Autor der Gestalt seines Lebens. *Vor dem Krieg verstand ich mich einfach als Individuum, ich sah keinerlei Verbindung zwischen meiner individuellen Existenz und der Gesellschaft, in der ich lebte. Am Ende meiner Studienzeit hatte ich daraus eine ganze Theorie gemacht: Ich war «nichts als ein Mensch», das heißt der Mensch, der sich kraft der Unabhängigkeit seines Denkens der Gesellschaft entgegenstellt, der der Gesellschaft nichts schuldet und über den die Gesellschaft nichts vermag, weil er frei ist. Auf dieser Ansicht basierte alles, was ich vor 1939 dachte und schrieb, mein ganzes Leben.*[31] Sartre wird Soldat, gerät 1940 in deutsche Kriegsgefangenschaft, der er 1941 mit gefälschten Entlassungspapieren entkommt.

Gemessen an dem Grauen, dem Schrecken, der nie gekannten mörderischen Gewalt dieses Krieges scheint sein Schicksal gnädig. Ihn jedoch hat es für immer aus den scheinbar geschützten, weltlosen Räumen des Geistes, der Wörter vertrieben. Er bleibt, was er war, ein Schriftsteller, ein Philosoph. Er bewahrt in seinem Innern das Empfinden seiner Berufung. Aber er hat eine andere Bedeutung der Kontingenz erfahren. Es ist nicht allein die schiere Materialität des Seins, die mir die Gleichgültigkeit meines Daseins demonstriert: Es ist eine konkrete geschichtliche Welt, in die ich zufällig hineingeboren werde. Deren Schicksale einer von mir unabhängigen Logik des Geschehens folgen, die trotzdem m e i n Schicksal zu bestimmen vermag. In dieser Welt habe ich zu existieren als ein Einzelner. Ein Einzelner, der trotz allem f r e i darin ist, über die B e d e u t u n g, die sie für ihn hat, selbst zu entscheiden. Inmitten der Situation des Krieges schreibt Sartre an Simone de Beauvoir: *Ich spüre wie Sie die Versuchung, mein Schicksal in einem unermeßlichen kollektiven Schicksal zu verlieren und aufzulösen, aber ich glaube, das ist eine Versuchung, der man widerstehen muß. Man spürt ungeheuer, und es ist wertvoll zu spüren, wie sehr das Schicksal eines Landes etwas Individuelles und Einzigartiges ist – wie für einen Menschen – und vom Tod Begrenztes – wie für die Menschen. [...] und wie sehr unsere Schicksale in diesem vergänglichen Schicksal des Landes situiert sind. Aber das macht nichts, das Land ist eine Situation, und es gibt Millionen freier Menschen, und für jeden ist der Sieg oder die Niederlage eine individuelle Geschichte.*[32] Das ist unendlich weit entfernt von Heideggers Begriff der Geschichtlichkeit, den Sartre zur selben Zeit preist als den, der ihn die Situiertheit des Menschen in der Welt begreifen ließ. Heidegger spricht von dem «Geschick» als dem «Geschehen der Gemeinschaft, des Volkes», das sich nicht aus einzelnen Schicksalen zusammensetzt, sondern darin sich begründet, dass der Einzelne «wesenhaft im Mitsein mit Anderen existiert»[33]. Diese Wesenhaftigkeit des Mitseins gibt es für Sartre nicht. Darum erfährt, beschreibt er die Geschichtlichkeit des Menschen als etwas, das e i n e m E i n z e l n e n g e s c h i e h t, als die elementare Konfrontation mit e i n e m f r e m d e n, s e i n e Existenz übergreifenden Sinn. Ein Sinn, dem jedoch erst seine Freiheit die Bedeutung verleiht, die er für ihn hat. Das geschichtliche Geschehen zieht mich, mein Leben in seinen Raum hinein. Aber es mediatisiert nicht meine Freiheit, mich als ein Individuum. Dies bleibt auch angesichts der Gewalt der Geschichte die Wahrheit des Menschen: dass er als eine grundlose Freiheit zu existieren hat in einer Welt, deren möglicher a b s o l u t e r Sinn ihm entgeht.

Das Sein und das Nichts unternimmt es, dieser Evidenz der Freiheit eine philosophische Begründung zu geben.

«Das Sein und das Nichts»

Das Sein und das Nichts ist der emphatische Versuch Sartres, der Kontingenz des Menschen seine W ü r d e entgegenzusetzen, die seiner Freiheit. Es ist zufällig, grundlos, dass ich existiere – aber in dieser Grundlosigkeit entscheide ich über die Gestalt meines Daseins, über die Bedeutung, die eine gegebene Welt für mich hat. Niemand vermag zu sagen, w a r u m ich existiere. Aber meine Freiheit bestimmt die W e r t e, die Horizonte, die der schieren Faktizität meiner Existenz S i n n, ein menschliches Antlitz geben. *Es ist einfach die bloße Kontingenz, die zu negieren die Freiheit trachtet.*[34]

Aber was berechtigt Sartre zu behaupten, dass der Mensch frei, dass seine Existenz mit Freiheit gleichbedeutend ist? Er stellt sich in die Tradition Descartes', wenn er an den Anfang seiner Philosophie der Freiheit das «Cogito» stellt, die Selbstgewissheit des Ich. Aber das Cogito, das er meint, ist ein anderes, ist nicht das des «Ich denke». Wenn Descartes das Sein des Ich aus der Selbstgegenwart des Denkenden begründet, wenn für ihn «zu sein» zuerst heißt, sich seiner als eines denkenden Wesens bewusst zu sein – so hält Sartre dem entgegen, dass das Bewusstsein meiner selbst da ist, bevor ich mich d e n k e n d als ein Ich erfasse. *Das S e i n des Bewußtseins existiert, da unabhängig von der Erkenntnis, vor seiner Wahrheit; [...] das Bewußtsein war da, bevor es erkannt wurde.*[35] Ich ‹weiß› um mich in einer Weise der Unmittelbarkeit, die dem Denken, der Reflexion vorausliegt. Sartre spricht vom *praereflexiven Cogito*, und hinter diesem abstrakten Ausdruck verbirgt sich sein Angriff auf die Tradition einer Metaphysik, die, indem sie die Selbstgewissheit des Ich einzig in der Reflexion begründet, Freiheit und Denken identifiziert. Frei bin ich gemäß dieser Metaphysik darin, mein Wesen im Denken zu haben, ein denkendes Ich zu sein. Was ich darüber hinaus bin, verfällt der Zufälligkeit, beschreibt mich als bloßen Teil einer endlichen, vergänglichen Welt.

Ein Teil der Welt aber bin ich, so Sartre, als ein freies Selbst. Er nimmt Abschied von der Idee eines souveränen Ich, das die Dinge der Welt sich aneignet, indem es sie erkennt. *Wir haben alle geglaubt,* schreibt er, *daß der Spinnen-Geist die Dinge in sein Netz locke, sie mit einem weißen Seidenfaden überziehe und langsam verschlucke, sie auf seine eigene Substanz reduziere.*[36] In Wahrheit bedeutet dieses Ich, dieser ‹Geist› nur eine Illusion, ein vermessenes Selbstbild des Menschen, *weil doch schließlich alles draußen ist, alles, sogar noch wir selbst: draußen, in der Welt, mitten unter den Anderen. Nicht in irgendeinem Schlupfwinkel werden wir uns entdecken: sondern auf der Straße, in der Stadt, mitten in der Menge, Ding unter Dingen, Mensch unter Menschen.*[37] Emphatisch nennt er Husserl, die Phänomenologie als das entscheidende Ereignis des Bruchs mit der Tradition des Bildes eines selbstgenügsamen, sich die Dinge erkennend aneignenden Ich. Husserl ist es, der den B e z u g auf die Welt der Dinge als das Wesen des Cogito beschreibt, der diesen Bezug in der ganzen Fülle seiner Wirklichkeit darzustellen sucht, statt ihn einzig als einen des Erkennens zu begreifen.

Edmund Husserl

Das berühmte Diktum Sartres *Die Existenz geht der Essenz voran*, artikuliert in diesem Sinn zuerst seine Verweigerung der Identifikation von Freiheit und Denken. Der Begriff der Freiheit repräsentiert keine Essenz des Menschen als eines denkenden Wesens, er steht einzig für die Wirklichkeit der Existenz des Einzelnen. Ich kann keine Freiheit beschreiben, die dem Anderen und mir gemeinsam ist: *Es handelt sich in Wirklichkeit um meine Freiheit [...], um mein einzelnes Bewußtsein, das wie meine Freiheit jenseits des Wesens ist.*[38] Jenseits des Wesens ist, das die Metaphysik als Denken behauptet, als ein Allgemeines, dessen zeitlose Bestimmungen dem Dasein des Menschen vorausliegen. Ein Wesen, eine Welt der Ideen, die Hegel als die der «Gedanken Gottes vor der Schöpfung» beschrieben hat. In diese ewige Welt tritt der Mensch ein und verlässt sie wieder, ohne in ihr Spuren zu hinterlassen. Zuzüglich soll er sie als den Raum seiner Freiheit anerkennen, den einer souveränen Wahrheit gegenüber der Endlichkeit, der Bedingtheit, der Zufälligkeit seines Daseins.

Auch Sartre setzt die Freiheit der Zufälligkeit der Existenz des Menschen entgegen. Aber er meint die Dimension der Freiheit im einzelnen Menschen. *Das Sein und das Nichts* beschreibt den Menschen in seiner vollständigen Einzelnheit, in seinem «Für-sich-Sein», wie Sartre es in Anlehnung an die Terminologie Hegels nennt. Aber dieser Einzelne, der seine Freiheit ist, als Freiheit existiert, ist der ganzen Schwere des Seins ausgesetzt. Dem Sein seines eigenen Körpers, das ihn Teil der materiellen Welt der Dinge sein lässt, das seinen Ekel erregt in seiner distanzlosen Anwesenheit beim Bewusstsein.[39] Dem Sein einer ‹Ordnung der Dinge›, die er nicht geschaffen hat, die da ist als eine Welt der Gesetze, der Institutionen, etablierter Mächte, deren Anonymität sich seiner Freiheit entzieht, deren Geltung ihm gegenüber als souverän erscheint. Dem Sein der Anderen, das ihm fremd gegenübertritt, der Anderen, die ihn als Teil ihrer Welt ansehen, der Welt, wie sie sich ihrer Freiheit zeigt. Für die Anderen ist er ein Seiendes, das sie von außen anblicken, in seiner Gegenständlichkeit, die sich ihm entzieht, der sich nicht mit ihren Augen zu betrachten vermag.

Denn so wie Sartre sich der Identifikation von Freiheit und Denken verweigert, verweigert er sich der von Freiheit und Sein, wie sie die Philosophie Hegels repräsentiert. Die Freiheit, die nicht Denken, im Sinne Hegels Geist ist, die nur den Menschen in seiner einzelnen Existenz bedeutet, vermag nicht, das Sein der Welt mit ihrer Kraft zu durchdringen. Anders als Heidegger sucht Sartre sein Denken gegen die Metaphysik in deren gewordener Sprache darzustellen. Er spricht in dieser Sprache und zugleich gegen sie. Er beschreibt diese unüberwindbare Grenze der Freiheit, diesen Abgrund zwischen

Freiheit und Sein in den Begriffen Hegels als den zwischen dem «Für-sich» und dem «An-sich». Hegels Telos, dass sich die Freiheit des Für-sich mit dem An-sich des Seins zum ‹An-und-für-sich-Sein› einer Welt der Freiheit versöhnt, bedeutet für Sartre nur die Hybris einer vergangenen Metaphysik. Der Mensch, schreibt er im Blick auf dieses Telos, im Blick auf die Sehnsucht des Menschen, die es a u c h ausspricht, in der Welt zu Hause zu sein, sie zu seiner Welt zu machen, *der Mensch ist eine nutzlose Passion*[40]. Er ist dies vergebliche Verlangen, der Fragilität seiner Freiheit die Festigkeit des Seins zu geben, eine Gestalt, in der sie sich bleibend anzuschauen vermöchte. Illusionslos heißt es gegen das Pathos einer Freiheit, die alles Seiende zu durchdringen beansprucht, sich in ihm darstellen will: *Entweder finde ich nur meine bloße Subjektivität wieder, oder ich stoße auf eine nackte, gleichgültige Materialität, die keinerlei Bezug mehr zu mir hat.*[41]

Freiheit, wie Hegel ihren Begriff bestimmt, bedeutet, im Anderen bei sich selbst zu sein, im Anderen des Seins der Dinge wie in dem Anderen, der mir begegnet. Freiheit gewinnt, so beschreibt es Hegel, Konkretion, Gestalt, indem sie sich der Differenz zum Anderen aussetzt, sie austrägt, um zuletzt sich, ein Bild ihrer selbst im Anderen anzuschauen. In der Differenz zum Sein der Dinge geschieht dies als A r b e i t, als ihre Bearbeitung, die ihrer Materialität die Form des Selbst aufprägt. In der Differenz zu einem anderen Selbst geschieht es als K a m p f, Kampf um die Anerkennung des eigenen Selbst als Freiheit durch den

Georg Wilhelm Friedrich Hegel. Zeichnung von W. Hensel aus dem Jahr 1829

Anderen. Für Hegel mündet dieser Kampf in gegenseitige Anerkennung, in die Versöhnung des Widerstreits zweier existierender Freiheiten, die in ihrem Gegenüber ihr eigenes Wesen
wiedererkennen. Die Voraussetzung aber, von der her Hegel
diese Versöhnung behauptet, ist ein metaphysischer Begriff des
Selbst, in dem die Differenz zum Anderen zugleich festgehal-
ten und in der sie umgreifenden Einheit des Geistes «aufgeho-
ben» ist. Meine Freiheit, so Hegel, bedarf der Differenz, um
wirklich zu werden, Gestalt zu gewinnen – zugleich erfährt sie
sich als in ihrem geistigen Wesen identisch mit der des Anderen, in dem sie darum zuletzt «bei sich selbst zu sein» vermag.

Für Sartre ist die Differenz der Freiheit absolut. Meine Freiheit behauptet sich als ein N e i n angesichts der des Anderen.
Mein Kampf um Anerkennung gilt m i r, nicht einer allgemeinen Wahrheit des Menschen. Der Einzelne beansprucht *die Anerkennung seines Seins und nicht die einer abstrakten Wahrheit. [...]
das Individuum verlangt seine Erfüllung als Individuum, [...] und
nicht das objektive Auseinanderlegen einer allgemeinen Struktur* [42].
Für Sartre bleibt die Situation des Kampfes bestimmend für
den Einzelnen. *Der Konflikt,* heißt es entschieden, *ist der ursprüngliche Sinn des Für-Andere-seins* [43]. Dies Credo bestimmt
*Das Sein und das Nichts: Wir können uns nie konkret auf eine Gleich-
heitsebene stellen, das heißt auf die Ebene, wo die Anerkennung der
Freiheit des Andern die Anerkennung unserer Freiheit durch den Andern nach sich zöge. Der Andere ist grundsätzlich das Unerfaßbare;
er flieht mich, wenn ich ihn suche, und besitzt mich, wenn ich ihn
fliehe.*[44] Für Sartre gibt es einzig zwei sich gegenseitig ausschlie-
ßende authentische Haltungen gegenüber dem Anderen: die
der Scham und die des Hochmuts.[45] Scham, die ich empfinde,
wenn mir bewusst wird, vom Anderen angeblickt zu werden,
nichts als ein Objekt, ein Gegenstand in seiner Welt zu sein.
Hochmut im Bewusstsein, den Anderen, seine Subjektivität
durch meinen Blick zu einem Objekt herabwürdigen zu können.

Die Szenarien der Begegnung mit dem Anderen, die Sartre
beschreibt, entziehen sich den Vorgaben einer sie umschlie-
ßenden begrifflichen Struktur, sind die einer Vielfalt von

Manuskriptseite aus «Das Sein und das Nichts»

Situationen. Der Andere konfrontiert mich, die Freiheit, die ich bin, mit der Faktizität meines Daseins. Indem ich seinen Blick auf mich wahrnehme, offenbart sich mir die Außenseite meiner Existenz, mein Sein als Körper, Objekt. Sein Blick verneint mich als Freiheit. Sartre beschreibt die Situation dessen, der sich als Voyeur ertappt sieht, sich schämt in der offenbar gewordenen Niedrigkeit seines Verhaltens. Aber dieses Extrem verweist nur auf die Allgegenwart der Scham, angeblickt zu werden, nichts als ein Objekt für die Augen, für das Urteil der Anderen zu sein. Und doch brauche ich den Anderen. Denn die Selbstgewissheit meiner Freiheit ist für sich allein haltlos, ohne Anhalt in der Welt. Wer ich bin, vermag mir nur der Andere zu sagen. Er *erblickt mich und besitzt als solcher das Geheimnis meines Seins*, den Schlüssel zu diesem Geheimnis.[46]

Der metaphysische Begriff des Selbst behauptet die Einheit, die Synthesis von Blicken und Erblicktwerden: In der Reflexion unterscheide ich mich von mir selbst, mache ich mich zum Gegenstand meiner selbst, um aus dieser so gewonnenen Distanz zu erkennen, wer ich bin, Selbstbewusstsein zu werden. Subjektivität und Gegenständlichkeit sind in dieser Bewegung der Reflexion different und identisch zugleich. Sartre zerbricht diese Einheit von Identität und Differenz, erklärt die Differenz als absolut. In seiner Studie über Baudelaire, in der er, wie in der über Genet, wie in seinem großen Werk über Flaubert, seine strukturelle Einsicht in das Phänomen des Menschseins an dem Versuch des Verstehens eines einzelnen Menschen zu bewähren sucht, spricht er von dem *aussichtslose[n] Entwerfen von Dualität, um das es sich bei dem reflexiven Bewußtsein handelt* [47]. Der Mensch *will zwei sein, um in diesem Paar die endgültige Besitzergreifung des Ichs durch das Ich zu verwirklichen.*[48] Aber dieser Wille, sich zu besitzen, ist zum Scheitern verurteilt. Meine Gewissheit meiner selbst ist unmittelbar. Wenn ich mich anblicke, geschieht dies als vermittelt durch die Augen der Anderen. Und es existiert kein Ort, von dem her diese Differenz, als die ich existiere, zu umgreifen, zu synthetisieren wäre. «Ich ist ein Anderer» – diese Wahrheit vermag allein mein Tod auszulöschen, der den Blick der Anderen endgültig über mich triumphieren lässt. Erst mein Tod verleiht mir Identität, als das Bild dessen, der ich in den Augen der Anderen bin.

Die Freiheit, die Sartre beschreibt, ist nicht die eines mit sich identischen, souveränen Selbst, sondern die eines Ich, das Mangel ist, Bedürfnis, sich mit seinem Sein zusammenzuschließen, den Riss zu schließen, der es von sich selbst trennt. Ich will für mich der sein, der ich für die Anderen bin, in dem beruhigten Wissen um mich, darum, ‹wer ich bin›. Aber die substanzlose Freiheit, als die ich existiere, verweigert mir die Identifikation mit der Festigkeit des Seins meiner ‹Person›, meines ‹Charakters›. Zugleich bin ich der, den die Anderen sehen. Denn *wie es jeder empfindet, besteht zwischen diesen beiden Aspekten meines Seins kein Unterschied von Schein und Sein, als ob ich mir selbst die Wahrheit meiner selbst wäre und als ob ein anderer nur ein entstelltes Bild von mir besäße. […] Die gleiche Seinswürde meines Seins für Andere und meines Seins für mich selbst* [49] zwingen mich in eine Zwiespältigkeit, die so lange dauert wie mein Leben.

Weit jenseits der Metaphysik der Versöhnung beschreibt Sartre die Phänomene von Masochismus und Sadismus als vergebliche Versuche des Ich, dieser Zwiespältigkeit, die mit seinem Dasein gleichbedeutend ist, zu entgehen. Masochistisch identifiziere ich mich damit, nichts als ein Sein, einen Körper für den Anderen zu bedeuten, unterwerfe ich mich seiner Freiheit, mache mich zu einem Ding für ihn. Sadistisch triumphiert meine Freiheit über den Anderen, genieße ich seine Unterwerfung, die ihn als Freiheit zerstört. Masochismus wie Sadismus beschreiben in ihrer Komplementarität das Scheitern des *unmöglichen Ideals der Begierde* [50]: sich selbst zugleich als Freiheit und als Sein für den Anderen, ihn als Sein für mich und zugleich in seiner Freiheit zu erfahren. Hegel hatte den Begriff der Liebe als Paradigma des Selbstseins behauptet: In der Liebe, so Hegel, erfüllt sich in vollkommener Weise die Idee des Selbst: im Anderen bei sich selbst zu sein. Sartre schreibt in unmissverständlicher Härte im Blick auf diese Idee, lakonisch und im Ton des Endgültigen: *Das Problem meines Für-Andere-seins bleibt also ungelöst, die Liebenden bleiben jeder für sich in einer totalen Subjektivität; nichts entbindet sie von ihrer Pflicht, sich jeder für sich existieren zu machen; nichts beseitigt ihre Kontingenz oder rettet sie vor ihrer Faktizität.*[51] Die Sehnsucht der Liebe, *uns gerechtfertigt fühlen, daß wir existieren*[52], bleibt notwendig unerfüllt. Nichts vermag die Zwiespältigkeit meines Daseins zu versöhnen, nichts, seiner Grundlosigkeit einen Grund zu geben.

Mit den Mitteln des Begriffs beschreibt Sartre die Un - möglichkeit der Liebe. Dies scheint seltsam, blickt man auf sein Leben, ein Leben, das sich von der Liebe tragen lässt, in ihr Zuflucht vor den Schrecken der Einsamkeit sucht und findet. Sartre ist ein «homme à femmes». Immer wieder hebt er hervor, die Nähe, die Gesellschaft der Frauen der der Männer vorzuziehen. Er stilisiert das Bild einer Welt der Frauen diesseits des Ernstes, der Zwecke, der Hierarchien. Er will in dieser Welt leben, als ihr Mittelpunkt, als ihr Souverän. In selbstironischem Ton beschreibt er aus der Distanz den Wunsch des Jünglings *nach einer ausgewählten Gesellschaft, in der ich König wäre*, erzählt einen Traum, der Wirklichkeit wurde. Er träumte sich inmitten *bezaubernder Mädchen*: Und *dort saß ich und herrschte durch die Macht des Geistes, durch den Charme*[53].

Die Macht des Geistes ist das einzige Mittel, das Sartre besitzt, einen Platz in der Welt der Frauen, so wie er sie imaginiert, zu erobern und zu sichern. Denn er ist hässlich – und der Blick der Anderen offenbart ihm seine Hässlichkeit. *Normalerweise ist der Mensch, der mich ansieht und der mir auf der Straße begegnet, feindselig*, erzählt er am Ende seines Lebens Simone de Beauvoir und gesteht ihr, niemals Menschen auf der Straße angesprochen zu haben, um sie nach dem Weg oder etwas anderem zu fragen. Denn *wenn man häßlich ist* heißt dies, *der Person, an die man sich wendet, eine unangenehme Gegenwart* zuzumuten.[54] Längst über diese Niederlage erhaben gesteht Sartre später seinen Freunden, wie er 1933 nicht nur nach Berlin ging, um Husserl zu studieren, sondern in der festen Absicht, die «deutschen Frauen» zu erobern – und wie kläglich und vollkommen dies scheiterte, weil er ihre Sprache nicht sprach. Einzig sein Charme, der seines Geistes, vermag die Frauen zu ver-

Simone de Beauvoir

führen, ihren Blick auf ihn zu vergessen, ihn zu lieben, sich der Souveränität seiner Anwesenheit zu unterwerfen.

Sein Leben lang kämpft Sartre um die Liebe der Frauen, um einen Ort diesseits der Welt der Blicke, der Urteile der Anderen – und zugleich geschieht ihm das Wunder, einen einzigen Anderen zu finden, dessen Blick auf ihn er will, in dessen

Blick er sich in seiner Freiheit wahrgenommen weiß: Simone de Beauvoir. Die Liebe dieser beiden, die Gestalt, die sie ihr gaben, ist zur Legende geworden, erscheint bis heute als das einzigartige Beispiel einer Bindung, die die vollständige Freiheit des Anderen will und fordert, die durch rückhaltlose Aufrichtigkeit bestimmt ist, die der Versuchung des Besitzenwollens, des Beherrschenwollens zu entkommen sucht. Diese Liebe scheint das zu verwirklichen, dessen Möglichkeit Sartre bestreitet: im Anderen bei sich selbst zu sein, von der fremden Freiheit des Anderen angeblickt zu werden und darin s i c h zu erkennen. Und beide empfinden diese Einzigartigkeit, halten ihr Leben lang an dieser Liebe fest, die nichts zu zerstören vermag.

Das heroische Bild verbirgt jedoch, dass hier zwei Menschen auch versuchen, eine Idee zu leben, statt sich den Unwägbarkeiten der Liebe zu überlassen: der Unsicherheit, Abgründigkeit des Empfindens, der Fremdheit, der Angst, den Anderen zu verlieren, der Sehnsucht nach Absolutheit, die um ihre Vergeblichkeit weiß. In den Tagebüchern, die Sartre 1939 und 1940 schreibt, in der erzwungenen Einsamkeit eines Soldatenlebens, der absurden Muße eines Soldaten in der «drôle de guerre», beschreibt er selbst den programmatischen Charakter dieser Liebe, das, was sie verdrängt: *Wir hatten unsere Beziehungen auf der Grundlage totaler Aufrichtigkeit ‹konstruiert›, einer vollständigen gegenseitigen Hingabe, und wir opferten unsere Stimmungen und alles, was noch an Wirrnis in uns sein mochte, dieser permanenten und gesteuerten Liebe, die wir konstruiert hatten. Im Grunde sehnten wir uns nach einem Leben in Unordnung, einer wirren und im Augenblick gebieterischen Zwanglosigkeit, nach einer Art Dunkelheit, die gegen unseren klaren Rationalismus abstach, einer Art, in uns selbst versunken zu sein und zu fühlen, ohne zu wissen, daß wir fühlten.*[55] Und der nüchternen Bestandsaufnahme einer Liebe, die eine Idee der Liebe zu leben versucht, folgt das Eingeständnis: *In Wirklichkeit behandle ich meine Gefühle wie Ideen.*[56] Aber zugleich beschreibt Sartre die Kraft, die diese Liebe ihm verleiht, die Sicherheit, die sie ihm gibt: *Das Gegenstück zu dieser erdrückenden Durchsichtigkeit war die Stärke, die olympi-*

sche Sicherheit und das Glück. [...] Unsere Bindung war so fest und faszinierend für andere.[57] *Es zählte vor allem das mächtige Paar, das wir bildeten. [...] Wichtig ist jedenfalls, daß wir eine beneidete und geachtete Kraft waren.*[58]

Simone de Beauvoir ist d e r   F r e u n d, mit dem ihn ein Pakt verbindet, ein gemeinsamer Blick auf die Welt der Anderen. Und diesem Pakt, der Sicherheit, der Macht, der Kraft, die er ihm verleiht, opfert er die Unwägbarkeiten der Liebe, degradiert sie zu einer Kompensation für die Zwänge der Aufrichtigkeit. Offen bekennt er, *daß ich aus dem Schoß der Freundschaft heraus die Liebe immer als einen Anlaß betrachtet habe, den Kopf zu verlieren und endlich handeln zu können, ohne zu wissen, was ich tue*[59]. Und er scheut sich nicht, seine Geliebten dem gemeinsamen Blick auszuliefern. In gnadenloser Offenheit schildert er Simone de Beauvoir nicht nur intimste Situationen, sondern Schwächen, Hässlichkeiten der Frauen, mit denen er schläft.[60] Und in zynischer Herablassung schildert er ihr die naive Bewunderung einer Geliebten für «das Paar»: *Sie sagte: «Ich wollte schon immer so mit einem Mann zusammen sein wie Sie mit Simone de Beauvoir. Ich finde das toll.» Ich habe ihr gesagt, sie sei absolut dazu in der Lage.*[61] *Es ist bedauerlich,* schreibt er Simone de Beauvoir über eine andere, eifersüchtige Geliebte, *daß ich ihr über Sie etwas vorlügen muß.*[62] Aber dieses Lügen erscheint ihm von geringer Bedeutung im Blick auf *die unendliche Distanz [...], die meine Zuneigung zu Ihnen von allen anderen trennt*[63]. Zugleich zweifelt er: *Ich habe Angst, daß Sie sich inmitten von so viel Taktik, glatten Lügen und vor allem Halbwahrheiten plötzlich fragen: Lügt er mich nicht auch an, sagt er nicht nur die halbe Wahrheit? [...] Ich schwöre Ihnen, daß ich bei Ihnen ganz rein bin. [...] Sie sind nicht nur mein Leben, sondern auch die einzige Redlichkeit in meinem Leben.*

Allein in dem einzigartigen Raum einer Symbiose zweier Blicke vermag Sartre aufrichtig zu sein. Er und Simone de Beauvoir sind e i n   B l i c k – gegenüber einer Welt der Anderen. Die Förmlichkeit der Anrede, des «Sie», die sie ihr Leben lang beibehalten, reflektiert vielleicht – statt des Pathos der Distanz, der Freiheit – den Charakter dieser Symbiose, die sich der Entscheidung für eine Idee der Liebe verdankt statt den Dunkelheiten einer Obsession, der unbegründbaren Absolutheit des Gefühls. *Ich kann die Leute nicht gut lieben,* schreibt Sartre an Simone de Beauvoir. *Nur Sie. Mit Ihnen ist es ganz anders [...] In dieser Hinsicht wird es zumindest das in meinem Leben geben, daß ich eine Person mit aller Kraft, ohne Leidenschaftliches und Wunderbares, aber von innen heraus geliebt haben werde. Aber das mußten Sie sein, mon amour, jemand, der so mit mir verschmolzen ist, daß man das Seine nicht mehr vom Meinen unterscheiden kann.*[64] Und spiegelbildlich schreibt sie in ihren Memoiren: «Die Existenz des Anderen blieb für mich stets eine Gefahr, und ich konnte mich nicht entschließen, ihr freimütig ins Auge zu sehen. [...] Bei Sartre hatte ich mich aus der Affäre gezogen, indem ich erklärte: ‹Wir sind eins.› Ich hatte uns beide in den Mittelpunkt der Welt gestellt. Um uns kreisten widerwärtige, lächerliche oder spaßige Personen, die keine Augen hatten, mich zu sehen: Ich war der einzige Blick.»[65]

Und doch bedürfen beide der Anderen, versuchen sie zu lieben in der Sehnsucht, die Sartre als die eigentliche Sehnsucht der Liebe beschreibt: sich zu retten vor der Kontingenz des eigenen Daseins, sich g e r e c h t f e r t i g t zu fühlen. *Was mich am häufigsten in eine Geschichte hineinzog,* schreibt er in sein Tagebuch, *war das Bedürfnis, einem Bewußtsein nach Art eines Kunstwerks «notwendig» zu erscheinen.*[66] Und er weiß ja, dass diese Sehnsucht nicht zu stillen ist, dass dieses Bedürfnis keine Befriedigung zu finden vermag, dass es einem Mangel entspringt, der mit dem Menschsein gleichbedeutend ist. Niemand, kein Anderer, keine Liebe vermag dies aufzuheben, dass ich zufällig existiere, ohne Grund, ohne Notwendigkeit, dass das Sein der Welt meiner endlichen Existenz gegenüber gleichgültig ist, ihr vorausliegt, sie in absoluter Indifferenz überdauern wird. In der Erzählung *Die Mauer* beschreibt Sartre den To d als das absolute Faktum, das die vermeintliche Macht der Liebe gleichgültig werden lässt im Augenblick, in dem seine Gegenwärtigkeit unleugbar geworden ist. In der Nacht vor seiner Hinrichtung denkt ein Mann an die Frau, die er liebt, die ihn liebt, und entdeckt, dass er kein Verlangen mehr hat, sie zu sehen, sie zu spüren, mit ihr zu sprechen. Sie *würde weinen, wenn sie von meinem*

Tode erfuhr, monatelang würde sie keine Lust mehr haben, weiterzu-
leben. Dennoch war ich es, der sterben mußte. Ich dachte an ihre schö-
nen, zärtlichen Augen. Wenn sie mich ansah, ging etwas von ihr in
mich über. Aber ich sagte mir, jetzt ist das vorbei: Wenn sie mich jetzt
ansähe, würde ihr Blick in ihren Augen bleiben und nicht bis zu mir
gelangen. Ich war allein.[67]

Der einzige Raum der Befreiung von diesem erdrückenden
Bewusstsein der Endlichkeit, der Kontingenz des eigenen
Seins, der für Sartre existiert, ist der des Schreibens. Und diesen
Raum teilt er mit Simone de Beauvoir, sie bewohnen ihn gemeinsam, es ist ihr exklusiver Raum, der sie schützt. Sie behaupten ihn in seiner Exklusivität gegenüber den Anderen, er
begründet die Treue, mit der sie ein Leben lang einander ver-
bunden sind. Schlicht schreibt Simone de Beauvoir über einen
gemeinsamen Kinobesuch in den dreißiger Jahren: «Wir sa-
hen ‹Cynara› mit der schönen Kay Francis. ‹Auf meine Art war
ich dir treu, Cynara› – dieser Satz, das Motto des Films, sollte
für uns jahrelang eine Art Losungswort werden.»[68] Zugleich
hat sie von der Angst erzählt, die sie empfand angesichts der
Gefahr, dass ein Anderer, ein Dritter in diesen einzigartigen gemeinsamen Raum, den sie und Sartre bildeten, tatsächlich ein-
zudringen, ihn zu zerstören vermöchte.

Aber ist es überhaupt gerechtfertigt, dem Phänomen dieser
Liebe einen Begriff der Liebe zu konfrontieren – und sei es auch
der, den Sartre selbst entwirft, der ihrer Unmöglichkeit? Kann
man das L e b e n eines Menschen an dem messen, was sein
We r k beschreibt? Ist es nicht grundsätzlich angreifbar, einen
Zusammenhang von Leben und Werk zu behaupten? Sartre
selbst scheinen solche hermeneutischen Bedenken gänzlich
fremd. *Es sieht zwar nicht so aus*, bemerkt er im Blick auf die Fi-
gurationen des Selbst, die *Das Sein und das Nichts* beschreibt,
aber ich habe mich mit dieser metaphysischen Beschreibung in voller
Größe selbst gemalt.[69] Das Phänomen der Existenz des Menschen, das er zu begreifen, das sein Werk darzustellen sucht, besitzt seine Evidenz für ihn zuerst in der Erfahrung des eigenen
Daseins. In einem Brief, den er in der Zeit der Konzeption von
Das Sein und das Nichts an Simone de Beauvoir schreibt, beruft

er sich auf Heidegger, darauf, dass auch dieser das Verstehen des Daseins aus diesem selbst hervorgehen lasse. Heidegger hatte in «Sein und Zeit» gegen die cartesische Tradition des Cogito, die Behauptung eines substantiellen Ich, das Dasein des Menschen als «Seinsverständnis» bestimmt. Der Mensch existiert in der Welt, statt ihr als ein souveränes Ich in der anschauenden Haltung des Erkennens gegenüberzustehen. Er hat diese Welt und sich in ihr immer schon unausdrücklich verstanden, indem er sich zu ihr und darin zu sich selbst verhält. Ich bin mit meiner Welt vertraut, die Dinge in ihr besitzen eine bestimmte Bedeutsamkeit für mich, ich verstehe mich, den, der ich bin, den, der ich sein will, zuerst aus der Welt her. Dieses Verstehen ist ursprünglicher als die Erkenntnis, ist deren bleibender Grund.[70] Die Philosophie hat dieses «Seinsverständnis», das der Mensch ist, aufzuhellen, muss von ihm ausgehen, ihren Anfang nehmen, statt den sekundären Raum der Erkenntnis als ihren originären Ort misszuverstehen. Heidegger nennt seine Philosophie in diesem Sinne in «Sein und Zeit» eine «existenziale Analytik», die «letztlich existenziell d. h. ontisch verwurzelt» ist, denn «nur wenn das philosophisch-forschende Fragen selbst als Seinsmöglichkeit des je existierenden Daseins existenziell ergriffen ist, besteht die Möglichkeit einer Erschließung der Existenzialität der Existenz»[71]. Der Philosoph sucht das aufzuhellen, was er selbst ist, um es in seinen Strukturen begreifen, darstellen zu können.

Dies «Was er selbst ist» meint aber für Heidegger nicht den Philosophen als ein Individuum, die einmalige Gestalt seines Lebens, sondern ihn in seiner Allgemeinheit als ein existierendes Dasein, dessen Besonderheit allein darin besteht, nach diesem Dasein, seiner Bestimmtheit zu fragen. Heidegger will demonstrieren, dass der Mensch selbst, als «Seinsverstehen», der Anfang der Philosophie ist, ihr Autor, statt dass eine dem Menschen gegenüber souveräne Wahrheit seines Daseins existierte. Sartre jedoch meint sich als Autor seiner Philosophie. Und so erscheint es als naive Unbefangenheit und als ein grandioses Missverständnis, wenn er in der Berufung auf Heidegger an Simone de Beauvoir schreibt: *Und außerdem versuche*

Martin Heidegger,
1968 in Todtnau-
berg

*ich jetzt weder, mein Leben nachträglich durch meine Philosophie zu
schützen, was eine Schweinerei ist, noch mein Leben meiner Philosophie anzupassen, was pedantisch ist, sondern Leben und Philosophie
sind wirklich eins.*[72] Für ihn, für dieses Individuum Jean-Paul
Sartre sind sie eins, bilden sie die Einheit seines Daseins.

Das Missverständnis hat jedoch seinen Grund in der entscheidenden Differenz, die Sartre von Heidegger trennt. Denn
für Sartre ist, in der Säkularisierung der cartesischen Tradition,
das Individuum, der Einzelne das Paradigma menschlichen
Daseins. Das Dasein aber, so wie Heidegger es bestimmt, ist zuerst allen anderen gleich. Es ist eines, das in der Welt aufgeht,
sich aus ihr her versteht. Heidegger spricht von der «Rück-
strahlung des Weltverständnisses auf die Daseinsaus-

legung»[73]. Zugleich beschreibt er Welt als eine, die vollkommen durch Durchschnittlichkeit bestimmt ist, durch die «Herrschaft der Anderen», eines anonymen «Man», zu dem ich selbst gehöre: «Jeder ist der Andere und Keiner er selbst.»[74] Wer ich bin, sein will, welche Möglichkeiten ich ergreife, diktiert mir die Stimme des «Man», die meine eigene ist. Aus dieser Welt eingeebneter Differenz befreit sich der Mensch, so Heidegger, einzig in der A n g s t angesichts der einzigen Möglichkeit, die allein ihm zugehört, die unvertretbar seine ist: d i e s e i n e s T o d e s. In dieser Angst drängt sich ihm die Endlichkeit, die Grundlosigkeit seines Daseins auf, in ihr erfährt er seine elementare E i n s a m k e i t, sich als einen Einzelnen. Der Tod als Principium individuationis: Sartre wehrt sich mit aller Entschiedenheit gegen diese Behauptung und beschreibt sie als zirkelhaft: *Wie will man denn beweisen, daß der Tod diese Individualität hat und die Macht, sie zu verleihen?*[75] Der Tod ist nicht m e i n Tod, wenn ich mich nicht schon als ein Individuum wahrnehme. Er ist zudem etwas, was mir von außen geschieht, ein kontingentes Faktum, statt dass man ihn, wie Heidegger, als meine «ureigenste Möglichkeit» bestimmen könnte. Er bedeutet *die Nichtung aller meiner Möglichkeiten, eine Nichtung, die selbst nicht mehr Teil meiner Möglichkeiten* ist.[76] Er bedeutet zuletzt den *Triumph des Gesichtspunkts Anderer über den Gesichtspunkt mir gegenüber, der ich bin.*[77] Mein Tod, so Sartre, bedeutet den endgültigen Sieg der Anderen über mich, er beraubt mein Leben *jeden subjektiven Sinns, um es im Gegenteil jeder objektiven Bedeutung auszuliefern, die ihm zu geben dem andern gefällt*[78].

Die Bedeutung, die der Tod für Sartre hat, ist der diametral entgegengesetzt, die Heidegger ihm gibt. Für Heidegger lässt erst das Gewahrwerden meiner absoluten Endlichkeit mich dies begreifen, a l s e i n E i n z e l n e r z u e x i s t i e r e n. In der Angst, der Wahrheit, die sie mir entdeckt, zerbrechen die «Verstellungen, mit denen sich das Dasein gegen es selbst abriegelt»[79], versinkt die Welt der Anderen in Bedeutungslosigkeit, befreie ich mich von dieser Welt, w ä h l e ich mich als Freiheit. Für Sartre bedarf es einer solchen Befreiung, einer solchen Wahl nicht. Für ihn besitzt der Einzelne eine unmittelbare Gewissheit seiner selbst, sind die Anderen nicht die, m i t denen ich zuerst bin, eine Gemeinschaft bilde, die ich verlassen muss, um frei zu werden. Die Anderen sind eine andere, fremde Freiheit, die meiner gegenübersteht. Mein Tod bedeutet den Tod der Freiheit, die ich bin. Tot zu sein heißt, nichts mehr als ein Gegenstand der Anderen zu sein, für immer ausgeliefert ihrem Blick auf mich, mein Leben, über dessen Bedeutung und Wert sie zuletzt entscheiden. Umgekehrt aber heißt dies auch: Einzig der Tod löscht meine Beziehung zum Anderen aus; solange ich lebe, ist der Andere da, statt dass ich, wie Heidegger es beschreibt, mich als absolute Einzelnheit zu erfahren vermöchte, als ein weltloses Selbst, in der Leere einer zur metaphysischen Erfahrung stilisierten Einsamkeit.[80] Freiheit, so Sartre, *kann es nur als engagiert in eine Widerstand leistende Welt geben*[81]. Und diese Freiheit haben wir nicht gewählt, wir sind sie. Das eben, so Sartre, *ist die Faktizität der Freiheit*[82].

Zugleich ist für Sartre jedes Individuum ein Anfang, wird mit jedem Einzelnen die Möglichkeit eines neuen, anderen Verstehens von Welt geboren. In diesem Sinne begreift er seine Philosophie als Ausdruck seines Weltverstehens, das er den tradierten Deutungen der Metaphysik konfrontiert, das sich zugleich unabhängig von dieser Konfrontation gar nicht darzustellen vermöchte, erst aus ihr seine Bestimmtheit gewinnt. Aber in diesem Dialog mit den metaphysischen Interpretationen der Welt und des Menschseins begreift Sartre sich nicht als einen Philosophen, der im zeitlosen Raum des Denkens über die Wahrheit des Menschen spricht, sondern als ein Individuum in einer bestimmten geschichtlichen Welt. Darum ist ihm der traditionelle Gegensatz von Leben und Werk fremd. Sein Werk will darstellen, was es heißt, ein Mensch zu sein, engagiert in eine Widerstand leistende Welt. Und dies erfährt jeder Einzelne zuerst an sich selbst. Die Begriffe, die diese Erfahrung ausdrücken, deuten, interpretieren, zu verallgemeinern suchen, bleiben an sie als an ihren Grund gebunden. Anders als Heidegger, der seinen Begriff des Daseins als in seiner Geltung zeitlos, geschichtslos behauptet, bindet sich Sartre in seinem Denken an die Wirklichkeit des E r l e b e n s des eigenen

Selbst, statt dass er einzig einem anderen Begriff des Daseins in der Konfrontation mit der philosophischen Tradition Gestalt zu geben versuchte.

Die Auseinandersetzung mit dem Werk Sartres ist darum nicht abzulösen von seiner Person. In diesem Werk zeigt Sartre auch sich selbst. Dies bedeutet nicht, dass seine Texte sich nicht gegenüber ihrem Autor verselbständigen, in eine von ihm unabhängige Kommunikation mit anderen Texten treten könnten, dass ihr Sinn sich nicht zu wandeln vermöchte in der Geschichte ihrer Rezeption. Es bedeutet aber, dass das Verstehen dieses Werks sich immer wieder auf seinen Autor zurückverwiesen sieht, auf sein Erleben, auf die Bedingtheiten dieses Erlebens. In seinem monumentalen, unvollendet gebliebenen Werk über Flaubert hat Sartre, wie zuvor in seinen Studien über Baudelaire, Genet und Mallarmé, diese Einheit von Leben und Werk darzustellen versucht. Eine Einheit, die mit dem Gedanken einer linearen Kausalität nicht fassbar ist. Sie verweist auf das vielleicht unentwirrbare Geflecht, das den Einzelnen, über die zufälligen Konstellationen seines individuellen Schicksals hinaus, mit den Dimensionen des Allgemeinen, mit den gesellschaftlichen Strukturen seiner Zeit, mit den geschichtlichen Ereignissen verbindet. Eine Einheit, die die Weise meint, in der dieses Geflecht von Individuellem und Allgemeinem, das jeder Mensch i s t, die Gestalt des Werks bestimmt.

Für Sartre ist das Allgemeine wirklich in den Individuen, als das Andere ihrer selbst, statt ihnen gegenüber eine souveräne Wirklichkeit zu bedeuten. Zugleich glaubt er an kein «Wir», das ursprünglicher wäre als die Differenz der Individuen. Der Begriff der Gemeinschaft, einer unmittelbaren Vertrautheit der Individuen, die sich aus ihrem gemeinsamen Verstehen von Welt begründet, ist für ihn ohne jede Evidenz. Für Sartre ist die ursprüngliche und bleibende Situation die einer Konfrontation, einer Widerständigkeit, einer Fremdheit. Zwischen mir und den Anderen gibt es keinen Raum, keine gemeinsame Welt, in der die Fremdheit ihrer Freiheit sich mit der meinen zu versöhnen vermöchte. Die Anderen sind die, die die fremde Außenseite meines Selbst repräsentieren, die meine ist, gegen die zugleich meine Freiheit sich zu behaupten sucht. Die Anderen werden in dieser Perspektive, über den individuellen Anderen hinaus, zu Repräsentanten einer gegenüber meiner Freiheit indifferenten Welt verdinglichter Bedeutungen, verweisen auf nichts als ein *gegebenes, zu An-sich erstarrtes Verhalten in der Welt*[83]. Vergeblich, so Sartre, *wünschte man sich ein menschliches Wir, in dem die intersubjektive Totalität sich ihrer selbst als einer vereinigten Subjektivität bewußt würde. Ein solches Ideal kann nur eine Träumerei sein.*[84]

Das Sein und das Nichts ist eine radikale Absage an den Anspruch, die Freiheit des Individuums auf die Wirklichkeit einer Gemeinschaft zu verpflichten. Die Erfahrung der Gemeinschaft hat für Sartre keine das Dasein des Menschen begründende Bedeutung. Im Gegenteil, diese Erfahrung wird ihm aufgezwungen, sie erregt seinen E k e l, den Ekel vor der Aufdringlichkeit einer fremden, gleichgültigen Anwesenheit. Die Gegenwart des Wir gleicht der der wuchernden Materialität der Dinge, die *Der Ekel* beschreibt. Dieses Wir bedeutet mir nichts als meine Kontingenz, bestätigt mir nur die Zufälligkeit meines Daseins. Es besteht, egal, ob ich ihm angehöre oder nicht. Es vernichtet meine Individualität und also mich als Freiheit. *Wer erfährt, daß er mit den anderen Menschen ein Wir kon-stituiert, fühlt sich zwischen unendlich vielen fremden Existenzen verklebt, ist radikal und rückhaltlos entfremdet.*[85] *Verklebt*: Das Phänomen des Klebrigen, dem Sartre in *Das Sein und das Nichts* lange Ausführungen widmet, bezeichnet den Verlust der Kontur, der Gestalt des eigenen Daseins. Das Wir erdrückt mich, statt meiner Existenz einen Ort, ein Recht verleihen zu können. In *Der Ekel* heißt es über die Erfahrung des Wir: *Wir waren ein Häufchen Existierender, die sich selber im Wege standen, sich behinderten, wir hatten nicht den geringsten Grund, dazusein, weder die einen noch die anderen, jeder Existierende, verwirrt, irgendwie unruhig, fühlte sich in bezug auf die anderen zuviel.*[86] Und wie als einen ergänzenden Kommentar dazu schreibt Sartre in *Das Sein und das Nichts*: *Was auch unsere Handlungen sein mögen, wir führen sie in einer Welt aus, wo es schon den andern gibt und wo ich in bezug auf den andern zuviel bin.*[87]

Erinnert man sich an die Beschreibungen des Glücks, das das Erleben von Gemeinschaft für Sartre bedeutet hat, als Schüler, als Student, sogar als Kriegsgefangener, scheint sich hier ein seltsamer Widerspruch zu offenbaren. Aber dieses Glück, das Glück, dazuzugehören, unentbehrlich zu sein, bleibt in Sartres Leben ein außerordentliches Ereignis, das keine Spuren hinterlässt. Er selbst beschreibt dieses wiederkehrende Ereignis in seiner Flüchtigkeit: *Ich war unentbehrlich: the right man in the right place. [...] Wie fade und todtraurig erschienen meine Ruhmesträume im Vergleich zu diesen blitzartigen Intuitionen, die mir meine Notwendigkeit enthüllten. Unglücklicherweise erloschen solche Intuitionen schneller, als sie aufgeflammt waren.*[88] Die immer wieder geäußerte Vermutung, Sartres Hinwendung zur Geschichte nach *Das Sein und das Nichts* habe seinen Grund in seinem Erleben von Gemeinschaft, das seine theoretische Haltung revolutionierte, unterstellt diesem Erleben eine Bedeutung für den Menschen Sartre und sein Werk, die es tatsächlich nicht besaß.

Die Welt der Anderen ist meine Welt, denn ich vermag nicht außerhalb ihrer zu existieren – und sie repräsentiert zugleich nichts als den Raum der Gleichgültigkeit gegenüber der Wirklichkeit meines individuellen Daseins. In ihr kommt es auf mich nicht an, ihr Bestehen bedarf meiner nicht. Angesichts dieser Welt fremden Sinns behauptet Sartre die Potenz der Freiheit, selbst unmittelbarer Schöpfer von Sinn zu sein. Denn zwar gehöre ich dieser Welt unausweichlich an, aber ihre Ordnung ist mir äußerlich, i c h entscheide über ihre Bedeutung f ü r m i c h, über ihren Wert. Ihre Geltung, die der Gesetze und Regeln, die sie ausmachen, ist abhängig davon, o b i c h s i e a n e r k e n n e. Was hindert mich, so Sartre in provozierend abstrakter Radikalität, als Jude ein Lokal zu betreten, an dessen Tür geschrieben steht: «Eintritt für Juden verboten»?[89] Ich bin es, der über den Sinn, das Recht von Geboten und Verboten entscheidet, der darüber entscheidet, ob er das «Jude-Sein» als Bestimmung seiner Person anerkennt. Sartre schreibt dies in der Situation der Besetzung Frankreichs durch die Deutschen, angesichts der Willkürgebote einer Terrorherrschaft. Sein Begriff der Freiheit zeigt sich hier in der fragwürdigen Gestalt eines leeren Absolutums. Ja, er erscheint als zynisch inmitten der Gegenwart einer Gewalttätigkeit, deren antisemitischer Furor offenbar ist. Das «Ein-Jude-Sein» angesichts dieser Gewalt als Zuschreibung der Anderen zu beschreiben, der meine Freiheit souverän zu begegnen vermag, ist nichts als absurd – eine Absurdität des Denkens, nicht des Seins. Sartre, der die Wirklichkeit des Menschseins beschreiben will, behauptet hier nur einen Begriff der Freiheit gegen eine Wirklichkeit, die nicht nur die Zerstörung der Freiheit bedeutete, sondern für Millionen von Menschen den Tod. Dieser Begriff der Freiheit wendet sich gegen die Menschen, das Verzweifelte ihres Ausgeliefertseins, wird zur Ideologie.

Die Scham, die Sartre empfindet, als ihm dies offenbar zu werden beginnt, öffnet sein Denken endgültig dem Raum der Geschichte, der Realität der Gewalt, die sie bestimmt. *Das Sein und das Nichts* weicht dem aus, zugunsten der Konsequenz des Begriffs der Freiheit, den dieses Werk behauptet. Dass der Mensch frei ist heißt für Sartre hier: Nichts, keine Gewalt vermag dies zu zerstören, dass ich es bin, der über die Macht entscheidet, die die Anderen über mich haben. Meine Freiheit bedeutet mehr als mein Leben: Sie bedeutet einen absoluten Wert, die W ü r d e meiner Existenz. Es ist zuletzt die Freiheit des Gefolterten, seinen Peiniger anzublicken.

Der Abstraktheit dieses Begriffs der Freiheit angesichts einer Situation von Terror und Gewalt widerspricht ein Text Sartres, der erst 1994 wiedergefunden wurde: ein Filmmanuskript mit dem Titel *Résistance*. Sartre hatte 1943 – nicht zuletzt, um seinem Lehrerdasein zu entgehen – einen Vertrag mit der Filmgesellschaft Pathé abgeschlossen. Kurz nach dem Erscheinen von *Das Sein und das Nichts* schreibt er diesen Text: Die Geschichte der Jüdin Esther, die mit ihrem Kind im Arm aus dem Fenster springt, als die Deutschen vor ihrer Tür stehen, um sie zu deportieren. Zu Recht heißt es: «Eine Szene von solcher Radikalität ist einem aus der gesamten französischen Widerstandsliteratur nicht in Erinnerung. Es gibt keinen großen zeitgenössischen Text, der die Verfolgung der Juden in Frankreich so deutlich beim Namen nennt.»[90]

Und da ist ein anderer Text, geschrieben einige Jahre vor *Das Sein und das Nichts*: *Die Kindheit eines Chefs*, erschienen 1938 in dem Band, dem die Erzählung *Die Mauer* den Titel gab. Die Geschichte des Jungen Lucien, der zum Mann wird, eine Identität gewinnt, indem er, aus Zufall und Willkür, die Haltung eines Antisemiten einnimmt und die Erfahrung macht, dass die anderen ihn darin bewundern, entschieden eine Haltung zu repräsentieren – gleichgültig gegenüber dem Inhalt, der Bedeutung dieser Haltung. Unsicher, ohne Überzeugungen, unfähig zur Reflexion wird Lucien zum Inbegriff eines Chefs, einer Autorität gerade aufgrund dieser Unfähigkeit. Und er nimmt sich fortan in dieser Position wahr: den anderen überlegen, fähig, sie zu führen in seiner Entschiedenheit. – In dieser Erzählung reflektiert Sartre nicht nur die Substanzlosigkeit einer Gesellschaft, die an Haltungen und Gesten ihre Orientierung gewinnt, sich den Unwägbarkeiten, der Komplexität der Wirklichkeit nicht aussetzen will, bereit ist, sich dem leeren Führungsanspruch eines Einzelnen zu unterwerfen. Zugleich beschreibt er den Antisemitismus als eine willkürliche Haltung, der abgründigen Schwäche derjenigen dienend, die einer Prothese bedürfen, um sich eine scheinhafte Identität zu schaffen. In seinem Essay *Betrachtungen zur Judenfrage*, der zuerst im Dezember 1945 in «Les Temps Modernes» erschien, präzisiert er sein Porträt des Antisemiten: Er ist der, der um jeden Preis eine feste Identität besitzen will, der nicht ahnt und nicht wissen will, dass es das nicht gibt, dass Menschen sich nicht zu besitzen vermögen. *Manche Menschen werden von der ewigen Starre der Steine angezogen. Sie wollen wie Felsblöcke unerschütterlich und undurchdringlich sein.* Angst, *Urangst vor dem Ich* [91], gebiert sinnlosen Hass und Gewalt.

Sartres Blick auf die Wirklichkeit ist nicht naiv, sondern klar, analysierend und kompromisslos. Trotzdem behauptet er in *Das Sein und das Nichts* das Absolutum der Freiheit des Individuums, das in jeder Situation sich als diese Freiheit zu behaupten vermag. Darum richtet sich seine Argumentation hier nicht gegen eine konkrete Situation der Gewalt, gegen die unmittelbare Herrschaft des Menschen über den Menschen, sondern a b s t r a k t gegen die Welt der Anderen, im Sinne einer Welt fremder Bedeutung, einer Welt des Allgemeinen, der Strukturen und Gesetze, wie sie sich gegenüber ihren ursprünglichen Schöpfern, den Individuen, herausgebildet, verselbständigt hat. Als ein Paradigma einer solchen, dem Individuum gegenüber scheinbar unabhängigen Struktur nennt Sartre die Sprache und erklärt ihr den Kampf im Namen der Freiheit: *Indem ich spreche*, behauptet er entschieden, *mache ich die Grammatik; die Freiheit ist die einzige mögliche Grundlage der Gesetze der Sprache.*[92] Sprechend wähle ich Bedeutungen, erfasse ich die Ordnung der Wörter, indem ich sie mache.[93] Ich bin es, der die Sprache erschafft, statt dass sie mir gegenüber eine eigengesetzliche Wirklichkeit besäße, als *eine Sprache, die sich ganz allein spricht*[94].

Sartre stellt diese radikale Behauptung auf, ohne auch nur den Versuch zu unternehmen, ihr eine sprachphilosophische Begründung zu geben. So als wäre nicht das Verhältnis der lebendigen Rede, des Sprechens zur Sprache, zu ihrer Gesetzlichkeit und Struktur, ein tradierter und gegenwärtiger Gegenstand der philosophischen Diskussion. Darin mag man Willkür sehen, Naivität, einen Absolutismus der Freiheit, der das eigene Sein der Sprache ignoriert zugunsten der Fiktion ihrer souveränen Schöpfung durch den Einzelnen. Hinter dieser scheinbaren Naivität aber steht eben dies, dass Sartre das Phänomen der Sprache, im Sinne eines autonomen Seins, einer autonomen Struktur, von seinem Begriff des A n d e r e n her begreift. Die Sprache, die sich selbst spricht, die autonom ist gegenüber den sprechenden Individuen, ist für ihn die Inkarnation des Anderen, einer fremden, gegebenen Bedeutung. Darum ist sie etwas, das meine Freiheit zu transzendieren hat. Denn die E n t f r e m d u n g des Individuums ist dies, in einer Welt zu existieren, deren Sinn Andere begründet haben. Dem Individuum ist *der Sinn der Welt entfremdet. Das bedeutet genau, daß es sich in Anwesenheit von vielerlei Sinn befindet, der nicht durch es zur Welt kommt.*[95] Die Anderen haben eine Sprache geschaffen, die mir als bloße Gegebenheit gegenübersteht, die ich darum, will ich mich als Freiheit behaupten, n e u erschaffen muss. Für seinen Antipoden Hegel artikuliert sich in der

Sprache der Geist der Vernunft selbst, dem das Individuum zu entsprechen hat. Für Sartre bedeutet sie nur die Gestalt einer fremden Subjektivität.

Diese anarchische Radikalität Sartres, diese Stilisierung des Individuums zum einsamen Schöpfer von Sinn bricht sich jedoch am Hegel'schen Gedanken der Vermittlung des Individuellen und des Allgemeinen. Das Neue wird nicht aus dem Nichts geboren. Es gewinnt seine Gestalt einzig als bestimmte Negation des Gegebenen. Das abstrakte Nein meiner Freiheit ist um seiner Wirklichkeit willen gezwungen, sich auf die Konkretion der Welt einzulassen. Es muss sich als das Nein gegenüber einem bestimmten, besonderen Gegebenen darstellen und ist darin von dem geprägt, das es verneint, steht immer schon in einem Verhältnis der Vermitteltheit zu dem scheinbar absolut Fremden. *Das Sein und das Nichts* verteidigt eine anarchische Freiheit gegen eine Welt gegebenen Sinns, gegebener Bedeutungen, Strukturen. Aber diese Freiheit ist gebunden an die Welt, die sie verneint. Ein absolutes Nein wäre nur eine Geste.

Der Begriff der S i t u a t i o n sucht dem Rechnung zu tragen, dass Freiheit nicht die eines Souveräns ist, sondern der Name für die kontingente Existenz des Individuums in einer Welt. Sartre beschreibt dies als *die unentwirrbare Verbindung von Freiheit und Faktizität in der Situation*[96]. Ich kann nicht wählen, an einem bestimmten Ort geboren zu werden. Ich kann meine Eltern nicht wählen. Ich kann meinen Körper nicht wählen. Dinge stoßen mir zu, unvorhersehbare Ereignisse bestimmen mein Dasein. Ich bin immer schon und unaufhebbar in einer Situation, statt dass ich in absoluter Freiheit über die Gestalt meines Lebens entscheiden könnte. Meiner Wahl, meinen Entscheidungen stehen die Widerstände einer unverfügbaren Faktizität gegenüber. Freiheit gewinnt ihre Gestalt einzig in der Welt, statt dass sie als die Einsamkeit des Selbst wirklich zu werden vermöchte.

Der Begriff der Welt aber, den *Das Sein und das Nichts* gebraucht, steht für das Phänomen der Welt überhaupt in ihrem Bezug zur Freiheit des Menschen, hat seinen Ort in der Darstellung der Struktur dieses Bezugs. Sartres aporetischer Anspruch ist der, eine Ontologie der Freiheit zu begründen, eine Antwort zu geben auf die Frage: «Was ist der Mensch?», die Geltung beanspruchen kann jenseits der Geschichte. Der Antimetaphysiker behauptet, *daß es eine Wahrheit des Menschen gibt und nicht bloß unvergleichbare Individualitäten*[97]. In keiner Weise, heißt es zwar sofort, sei damit ein Wesen des Menschen gemeint, denn eben: *[...] die Existenz als solche geht dem Wesen voraus [...]. Aber die betreffende Struktur kann die* <u>Wahrheit</u> *der Freiheit genannt werden, das heißt, sie ist die menschliche Bedeutung der Freiheit.*[98]

Der Gegenstand dieser Wahrheit ist der einzelne Mensch in der Kontingenz der Situation seiner Existenz, nicht, wie für Hegel, der Geist, dessen Wirklichkeit, als die der Einheit von Selbst und Welt, dem Handeln der Einzelnen zugrunde liegt. Sartres Wahrheit will das Dasein des Menschen beschreiben, nicht ein diesem Dasein jenseitiges Absolutum. Aber diese Beschreibung löst sich von der Basis der Phänomene, wird zur Behauptung einer allgemeinen Bestimmtheit des Menschseins überhaupt. Gehört es aber notwendig zum Menschsein, den Anderen als ein fremdes Außen, eine fremde, mich als Freiheit begrenzende Freiheit anzusehen? Zeichnet nicht *Das Sein und das Nichts* tatsächlich das Bild des Menschen in einer bestimmten geschichtlichen Situation? Ist nicht die behauptete Evidenz der Freiheit tatsächlich eine, die erst in einem bestimmten Augenblick der Geschichte auftaucht, Wirklichkeit gewinnt? Ist nicht der Begriff des Individuums selbst ein gewordener, statt der Name für die Existenz des Menschen zu sein?

Für Sartre wird die Erfahrung der Geschichte zuletzt zum Grund, mit seinem Begriff einer Wahrheit der Freiheit zu brechen.

Das Gewicht der Welt.
Handeln als ein Einzelner
in der Geschichte

Im April 1941 kehrt Sartre aus der Gefangenschaft nach Paris zurück. Er hat die Demütigung erfahren, ein Gefangener der Deutschen zu sein, er erfährt die Demütigung, Paris als von ihrer Gewalt beherrscht zu erleben. Er, der seinen Platz in der Welt als an ihrer Seite bestimmt hat – er will nun h a n d e l n. Kaum angekommen, versammelt er Freunde um sich, um eine Widerstandsgruppe zu gründen. «Sozialismus und Freiheit» ist der Name, den die Gruppe sich gibt. Der Name bezeichnet den Ort, den sie für sich wählt: Zwischen den Blöcken der bürgerlichen, gaullistischen und der kommunistischen Widerstandsbewegung will sie über die Situation des Krieges hinaus für das Bild eines Frankreich stehen, in dem der Sozialismus zugleich mit der Freiheit der Individuen besteht. Sartre schreibt Flugblätter: *Hitler deportiert unsere Leute, das ist ein Zustand, mit dem wir uns nicht abfinden können. Nähmen wir das Vichy-Regime hin, wären wir keine Menschen: Mit den Kollaborateuren ist kein Kompromiß möglich. Denn es handelt sich schon heute um den Aufbau einer Gesellschaft, in der der Ruf nach Freiheit nicht vergebens sein wird.*[99] N i c h t Widerstand zu leisten bedeutete, auf die Würde des eigenen Menschseins zu verzichten, darauf, als Freiheit zu existieren.

Ich entscheide, ob ich die gewalttätigen Gebote einer fremden Macht anerkenne, ob sie für mich Bedeutung haben, heißt es in *Das Sein und das Nichts*. Ich entscheide, ob ich dem willkürlichen Verbot gehorche und als Jude ein Lokal nicht betrete, an dessen Tür steht «Für Juden verboten». Erfüllt von der Absolutheit seines Bildes der Freiheit stürzt sich Sartre in das Handeln, in den Widerstand – und erlebt ein deprimierendes Scheitern. Sein Versuch, prominente Schriftsteller, allen voran Gide und Malraux, für seine Gruppe zu gewinnen, misslingt. Die Akti-

Juni 1940: Einmarsch der deutschen Truppen in Paris

vitäten der Gruppe zeigen sich als naiv, hilflos, bedeutungslos. Umso absurder erscheint die tödliche Gefahr, der ihre Mitglieder sich aussetzen. In ihren Erinnerungen beschreibt Simone de Beauvoir die wachsenden Skrupel, von denen sie und Sartre heimgesucht wurden. Ein Freund Sartres war deportiert worden, ebenso eine ihrer ehemaligen Schülerinnen. «Würden sie wiederkommen? Wenn sie stürben, welche Absurdität! Sie hatten ihrer Sache auch noch nicht den geringsten Dienst erwiesen.» Und sie merkt an: «Sie kamen nicht wieder.» [100]

Zwanzig Jahre später erklärt Sartre: *Lauter Naive. Unsere kleine Einheit, aus dem Enthusiasmus geboren, bekam das Fieber und starb ein Jahr später, weil sie nicht wußte, was tun.*[101] Aber diese nüchterne Selbstkritik bricht sich in ihrem Pragmatismus an dem Motiv, das er am Ende seines Lebens als das beschreibt, das ihn zum Handeln zwang, in der Situation des Widerstands und danach: *Bis dahin hatte ich mich für souverän gehalten, und ich hatte die Verneinung meiner eigenen Freiheit durch die Mobilmachung erleben müssen, um mir des Gewichts der Welt und der Bande zwischen mir und den anderen bewußt zu werden. Der Krieg hat mein Leben regelrecht in zwei Teile geteilt. [...] Zum Beispiel lernte ich damals die tiefe Entfremdung der Gefangenschaft kennen und auch die Beziehung zu Menschen, den Feind, den wirklichen Feind, nicht den Gegner, der in derselben Gesellschaft lebt wie man selbst und einen mit Worten angreift, sondern den Feind, der einen verhaften und einsperren lassen kann, indem er einfach bewaffneten Männern ein Zeichen gibt.*[102]

Zunächst aber reagiert Sartre auf sein Scheitern, indem er sich zurückzieht in den ihm eigenen Raum, den des Schreibens. Inmitten der Situation des Krieges schreibt, vollendet er *Das Sein und das Nichts*. Schreibt angesichts der täglich erlebten Gewalt und Unterdrückung über die Freiheit des Menschen, Nein zu sagen. Das *Gewicht der Welt*, das Roquentin in der unbestimmten Melancholie des *Ekels* verachtete, von sich schob — es lastet in unentrinnbarer Schwere auf dieser Freiheit, die sich ihm gegenüber in ihrer verletzlichen Absolutheit behauptet. *Niemals waren wir freier als unter der deutschen Besatzung,* schreibt Sartre nach dem Krieg: *Wir hatten all unsere Rechte verloren und in erster Linie das Recht zu sprechen; jeden Tag warf man uns Schmähungen ins Gesicht, und wir mußten schweigen. [...] überall an den Mauern, in den Zeitungen, auf der Leinwand begegneten wir dem abscheulichen und faden Gesicht, das unsere Unterdrücker uns von uns geben wollten: aufgrund all dessen waren wir frei. Da das Nazigift bis in unser Denken eindrang, war jeder richtige Ge-*

danke eine Eroberung; da eine allmächtige Polizei versuchte, uns zum Schweigen zu bringen, wurde jedes Wort kostbar wie eine Grundsatzerklärung; da wir verfolgt wurden, hatte jede unserer Gesten das Gewicht eines Engagements.[103] Die Wirklichkeit der Freiheit zeigt sich in ihrer reinsten Gestalt als Widerstand, als ein Nein, als noch so geringer Akt der Revolte – inmitten einer Welt der Fremdheit und Gewalt.

Die anarchische Radikalität von *Das Sein und das Nichts* offenbart sich in dieser geschichtlichen Perspektive als Antwort auf eine Wirklichkeit, die mich, meine Freiheit zu zerstören trachtet. Der ich fremd gegenüberstehe, der gegenüber zu handeln nur heißen kann, g e g e n sie zu handeln. Das «In-der-Welt-Sein», von dem Heidegger ausgeht, das Sich-selbst-aus-ihr-her-Verstehen erscheint als Farce angesichts einer Welt, die das Individuum der Willkür ihrer Herrschaft unterwirft.

Sartre handelt, indem er schreibt. Er schreibt sein erstes Theaterstück, *Die Fliegen*, das 1943 in Paris uraufgeführt wird. Ein Satz, geschrieben nach dem Ende des Krieges, konzentriert die ‹Botschaft› dieses Stücks: *Nach dem Tode Gottes verkündet man jetzt den Tod des Menschen. Von jetzt an ist meine Freiheit reiner: Weder Gott noch Mensch werden ewige Zeugen der Tat sein, die ich heute begehe. An eben diesem Tage und in der Ewigkeit muß ich mein eigener Zeuge sein. Ihr moralischer Zeuge, weil ich es sein will auf dieser unterhöhlten Erde.*[104] Im Schrecken des Kriegs und einer nie gekannten systematischen Vernichtung von Menschenleben ist die Absolutheit der Abgründigkeit des Menschen offenbar geworden. Dies spottet jedem Humanismus, sodass der Einzelne die vollkommene Verantwortung für sein Tun, für sich als eine grundlose Freiheit übernehmen muss. Kein Gott existiert mehr und kein Bild eines Wesens des Menschen, an dem sein Handeln ein Maß fände. Ich allein bin der *Zeuge* meiner Taten, ich allein urteile über den Wert meines Handelns, im Bewusstsein meiner metaphysischen Verlassenheit. Diese Moral des Handelns, die unmittelbar den Einzelnen meint, gewinnt ihre Überzeugungskraft aus der Situation des Schreckens, der Gewalt. Nach dem Krieg versucht Sartre, sie als den *Humanismus der Existenzphilosophie* zu begründen – und scheitert darin, aus einer Situation des Menschseins seine allgemeine Bestimmung herleiten zu wollen. Dass ein Mensch spontan dagegen aufbegehrt, in seiner Würde gedemütigt und vergewaltigt zu werden, dieses Phänomen begründet keinen Humanismus, keine allgemeine Moral. Sartres Zerwürfnis mit Camus, von dem noch zu sprechen sein wird, hat hier seine Wurzeln: in seinem Versuch, das kontingente Ereignis der Revolte zu transzendieren auf einen allgemeinen, absoluten Sinn hin.

Nach dem Zerbrechen der Gruppe «Sozialismus und Freiheit» schließen sich ihre Mitglieder sämtlich dem kommunistischen Widerstand an – außer Sartre, der zu seinem Ort *an der Seite* zurückgefunden zu haben scheint. Aber er hat nicht vollends mit seinem Willen gebrochen, konkret, in der gemeinsamen Aktion mit Anderen zu handeln. Er ist, in aller Distanz zu den Kommunisten, misstrauisch ihnen gegenüber auch angesichts der Verleumdungen und Beleidigungen, die er durch sie erfährt, die ihn als «dekadent» beschimpfen, bereit, an den Aktionen des von ihnen dominierten «Nationalen Schriftstellerkomitees» teilzunehmen und für die illegale Zeitschrift «Lettres françaises» zu schreiben. Wieder Flugblätter, Flugschriften, Artikel – Schreiben gegen die Gewalt.

Und der hilflose Versuch, die Wirkungslosigkeit solchen Widerstands zu überwinden, der Gewalt mit Gewalt zu begegnen. Sartre bietet seine Mitarbeit einer Aktionsgruppe an, deren Ziel ist, durch Sabotageakte dem Widerstand eine massive, endlich wirkungsmächtige Gestalt zu geben. Die Gruppe wird enttarnt: Verhaftungen, Folterungen, Erschießungen. Einundvierzig Studenten, die der Gruppe angehören, werden erschossen.

Ein wiederholtes, ein brutales Scheitern. Mörderischer Terror ist die Antwort auf das N e i n der Freiheit. Der Schock dieser Erfahrung trennt Sartre für immer von dem Bild eines Heroismus der Freiheit, von der Vorstellung der Absolutheit ihrer Wirklichkeit. Er bedeutet das Ende seines Pathos der Freiheit und darin zugleich den Anfang eines sein ganzes weiteres Leben bestimmenden Versuchs, die Freiheit des Individuums in ihrem aporetischen, zerrissenen Zusammen mit der Wirklichkeit der Welt, der Geschichte zu begreifen und darzustellen.

Fünfundzwanzig Jahre später beschreibt er in einem Gespräch diesen Bruch in seiner Wahrnehmung und seinem Denken: *Auf eine einfache Formel gebracht, könnte man sagen, das Leben hat mich ‹die Macht der Dinge› gelehrt. Eigentlich hätte schon mit Das Sein und das Nichts die Entdeckung dieser Macht der Dinge beginnen müssen, denn ich war schon damals gegen meinen Willen Soldat geworden. Ich war also schon auf etwas gestoßen, was mich von außen steuerte, etwas, das nichts mit meiner Freiheit zu tun hatte. Ich war sogar in Gefangenschaft geraten – ein Schicksal, dem ich immerhin zu entgehen versuchte. […] Während der Résistance schien es noch eine Möglichkeit freier Entscheidung zu geben. […] Man mußte die Risiken des eigenen Tuns auf sich nehmen, das heißt damit rechnen, eingesperrt oder deportiert zu werden. Das war alles. […] So kam ich zu dem Schluß, daß jede Situation eine freie Entscheidung zuläßt. Und das war falsch. […] Das alles habe ich aber erst viel später begriffen. Die Erfahrung des Krieges war für mich, wie für alle, die daran teilgenommen haben, die Erfahrung des Heldentums. Natürlich nicht meines eigenen Heldentums – ich habe nur einige Koffer getragen. Aber der Widerstandskämpfer, der gefangengenommen und gefoltert wurde, war für uns zum Mythos geworden. Solche Kämpfer gab es ja tatsächlich, aber für uns waren sie darüber hinaus ein persönlicher Mythos. Würden auch wir Folterungen aushalten und schweigen? […] Nach dem Krieg kam dann die echte Erfahrung: die Erfahrung der Gesellschaft. Ich glaube allerdings, daß für mich der Mythos des Helden eine notwendige Etappe war. Das heißt, der egoistische Vorkriegsindividualist […] mußte gegen seinen Willen in die geschichtliche Wirklichkeit gestoßen werden, gleichzeitig aber gerade noch ja oder nein sagen können.*[105]

Gerade noch ja oder nein sagen können: Sartre begreift und anerkennt *das Gewicht der Welt*, der Geschichte – und hält doch fest an der Bedeutung der Möglichkeit des Nein diesem *Gewicht* gegenüber. Was er jedoch von jetzt an in entschiedener, konkreter Weise sucht, ist ein anderes Nein, eines, das sich, wie Hegel seinen Begriff bestimmt, als «Negation der bestimmten Sache» begreift.[106] Dies meint, dass es an das gebunden ist, was es verneint, «als das Nichts dessen, woraus es herkommt»[107]. Mein Nein a n t w o r t e t auf eine geschichtliche Wirklichkeit, der ich angehöre, und wenn diese Antwort nicht nur ein Wort sein soll, muss sie sich auf deren Gestalt einlassen. Angesichts der Absolutheit von Gewalt, Terror, Unterdrückung geht es einzig um den Akt des Neinsagens – ob als spektakuläre Tat oder als stumme Geste der Verweigerung. Angesichts des Wiedererstehens einer Welt aus den Trümmern der Gewalt muss dieses Nein sich zu dem bestimmten Bild einer neuen Wirklichkeit wandeln.

Inmitten der Gewalt der Besetzung seines Landes durch die Nazis hofft Sartre auf dies Wiedererstehen einer Welt und darauf, in ihr zu handeln, an ihrer Gestalt mitzuwirken. Simone de Beauvoir beschreibt in ihren Erinnerungen diese Hoffnung, das pathetische Empfinden, berufen zu sein, eine neue Zeit mitzubegründen. «Die Stunde ihrer Niederlage würde kommen. Dann würde die Zukunft wieder offenstehen, und es wäre an uns, sie vielleicht politisch, bestimmt aber geistig zu formen. Wir sollten der Nachkriegszeit eine Ideologie liefern. Wir hatten klare Vorstellungen. […] Camus, Merleau-Ponty, Sartre und ich wollten ein Gruppenmanifest verfassen. Sartre war entschlossen, eine Zeitschrift zu gründen, die wir alle zusammen leiten würden. Wir waren an das Ende der Nacht gelangt, der Tag dämmerte herauf. Seite an Seite wollten wir einen neuen Anlauf nehmen.»[108]

Camus und Merleau-Ponty – warum nennt Simone de Beauvoir angesichts des Geflechts der Freunde einzig und gerade ihre Namen? Camus begegneten sie und Sartre zuerst im Juni 1943, bei der Uraufführung von Sartres Theaterstück *Die Fliegen*. Der Begegnung gingen Gesten gegenseitiger Hochachtung voraus. Camus hatte *Der Ekel* und *Die Mauer* emphatisch rezensiert, Sartre seinerseits «Der Fremde» als ein klassisches Werk gewürdigt, das durch «Der Mythos des Sisyphos» seine philosophische Erläuterung erfahre. Sie sind sich nah darin, die Wirklichkeit des Menschseins als ein grundloses Absolutum anzuerkennen, dem kein transzendenter Sinn eignet. Nah darin, den Menschen in seiner Einzelnheit, Einsamkeit als die

März 1944: Lesung des Picasso-Stücks «Le désir attrapé par la queue». Oben von links nach rechts: Jacques Lacan, Cécile Eluard, Pierre Reverdy, Louise Leiris, Zanie de Campan, Picasso, Valentine Hugo, Simone de Beauvoir. Unten von links nach rechts: Sartre, Camus, Michel Leiris, Jean Aubier

kontingente Wahrheit anzusehen, von der alle Wahrheiten ihren Ausgang nehmen. Sie sind eins in der Bejahung einer Freiheit, die einzig als die verletzliche Existenz des Menschen wirklich ist. Und die zugleich für beide die Freiheit ist, nein zu sagen, zu revoltieren gegen eine Welt ihrer Unterdrückung.

All dies verbirgt zuerst eine tiefe Differenz der Motive, die Fremdheit der Charaktere. Beides deutet sich allerdings schon an in Sartres Rezension von «Der Fremde», in der er sich blind zeigt gegenüber der elementaren Bedeutung der Erfahrung der Natur für Camus und zugleich diesem in der unverhohlenen Arroganz des ‹Gebildeten› der französischen Elite unterstellt, die Philosophen, die er zitiert, nicht immer ganz verstanden zu haben. Und umgekehrt benennt Camus in seinen Tagebü-

Albert Camus

chern seine Distanz zu Sartre, wenn er von diesem behauptet,
den Deutschen Idealismus, Hegel, zu radikalisieren, die Natur
endgültig durch die Geschichte zu ersetzen, «den Menschen
auf die Geschichte zu beschränken»[109]. Für Camus widerspricht die Freiheit des Menschen nicht seiner Kreatürlichkeit,
die Natur ist der Raum dieser Freiheit statt ihr Gegenüber, das
sie sich zu unterwerfen hätte. Und zugleich hofft er nicht darauf, dass die Geschichte die Freiheit des Menschen verwirklichen, Gewalt, Unterdrückung beseitigen, überwinden wird,
dass ihrem Geschehen ein Ziel, dieses Ziel immanent ist. Sartre
aber beginnt angesichts der Erfahrung des Krieges seinen Begriff der Freiheit an den der Geschichte zu binden. Und für ihn
ist die Natur ein bedeutungsloser Raum, bedrohlich in seiner

sinnlos wuchernden Ausdehnung. *Man muß in den Städten blei-ben*, hatte er in *Der Ekel* geschrieben, *man darf sie nicht verlassen. Wenn man sich zu weit hinauswagt, trifft man auf den Vegetations-ring. Die Vegetation ist kilometerweise auf die Städte zugekrochen. Sie wartet.*[110] Für die moderne Geschichtsphilosophie bietet, so umgekehrt Camus, nur die Stadt «dem Geist den Boden, auf dem er sich selbst bewußt werden kann. Bedeutsam. Dies ist die Zeit der Großstädte. Die Welt ist eines Teils ihrer Wahrheit beraubt worden, dessen, was ihre Dauer und ihr Gleichge-wicht ausmacht: die Natur, das Meer, usw. Bewußtsein gibt es nur auf der Straße!» Und er fügt an: «Vgl. Sartre. Alle moder-nen Geschichtsphilosophien.»[111]

Zunächst jedoch rückt für Sartre und Camus ihre Fremd-heit, die sie von Anfang an empfunden haben mögen, in den Hintergrund angesichts des Bewusstseins, das eigentliche Mo-tiv ihres Denkens – die Freiheit des Menschen in ihrer Grund-losigkeit – zu teilen und gemeinsam handeln zu wollen. Ca-mus ist Autor der Résistancezeitschrift «Combat», die nach der Befreiung weiter erscheinen wird. Sartre wird Mitarbeiter der Zeitschrift, erprobt sich hier zuerst im Genre des Journa-lismus, das Camus, der schon in Algier einige Jahre als Jour-nalist gearbeitet hatte, bereits souverän beherrscht. Sie werden Freunde, versichern einander in der Schreckenssituation der Besatzung der Zukunft, einer anderen Wirklichkeit, die sie zu-sammen gestalten wollen.

Und dann wird diese Zukunft Gegenwart. Nach der Befrei-ung gründet Sartre im Herbst 1944 die Zeitschrift «Les Temps Modernes» – der Name ist eine Hommage an Chaplin, an «Mo-dern Times» – zusammen mit Maurice Merleau-Ponty. *Seit 1943,* schreibt Sartre nach dem Tod Merleau-Pontys im Jahr 1961 in seinem Nachruf auf den Freund, *träumten wir von der Zeitschrift. Wenn es nur e i n e Wahrheit gibt, so dachte ich, muß man sie [...] nir-gendwo anders suchen als überall. Jedes gesellschaftliche Produkt und jede Haltung – die intimste und die öffentlichste – sind anspielungs-reiche Verkörperungen dieser Wahrheit. Eine Anekdote spiegelt ebenso die ganze Epoche wieder wie eine politische Verfassung. Wir würden dem Sinn nachjagen, wir würden das Wahre über die Welt und über*

unser Leben sagen. Merleau fand mich optimistisch: War ich so sicher,
daß es überall Sinn gebe? Darauf hätte ich antworten können, daß es
selbst einen Sinn des Unsinns gebe und daß es unsere Sache sei, ihn zu
finden. Und ich weiß, was er seinerseits gesagt hätte: Erhelle die Bar-
barei, solange du willst, du wirst ihre Dunkelheit nicht zerstreuen. Die
Diskussion hat niemals stattgefunden: Ich war mehr dogmatisch, er
mehr nuanciert, aber das war eine Sache des Temperaments oder, wie
man sagt, des Charakters. Wir hatten den gleichen Wunsch: Aus dem
Tunnel herauskommen, klar sehen.[112]

Sartre und Merleau-Ponty waren Studienkollegen an der
«École normale supérieure», ohne jedoch mehr als flüchtige
Beziehungen zueinander zu unterhalten. Erst in der Wider-

standsgruppe «Sozialismus und Freiheit» werden sie zu Freunden, entdecken sie die Verwandtschaft ihres Fragens, die gemeinsame Faszination durch die Phänomenologie, durch ein Philosophieren, das sich auf die Welt, die Wirklichkeit der Dinge richtet, statt seine Wahrheit in einem ortlosen Subjekt der Erkenntnis verbürgt zu sehen. Anders als Sartre jedoch hat Merleau-Ponty sein Denken seit langem der Geschichte geöffnet. Er sucht in ihr nach dem Bild, das offenbart, wie der Einzelne, sein Handeln, Teil eines Geschehens ist, dessen Notwendigkeit ihn übergreift – und wie doch diese Notwendigkeit erst durch dies Handeln Wirklichkeit gewinnt. Merleau-Ponty sucht nach der Wahrheit der Geschichte, des aporetischen Zusammen von Freiheit und Notwendigkeit, Einzelnem und Allgemeinem – und Sartre anerkennt in der Rückschau diese Suche als seinem anarchischen Standpunkt überlegen: *Merleau bekehrte mich: Im Grunde meines Herzens war ich ein verspäteter Anarchist, für mich bestand ein Abgrund zwischen den unbestimmten Phantasmen der Kollektivitäten und der präzisen Ethik meines Privatlebens. […] er zeigte mir, daß ich die Geschichte machte. […] der Lauf der Dinge ließ die letzten Dämme meines Individualismus zusammenbrechen, und ich befand mich an der Stelle, wo ich mir selbst zu entgehen begann: Ich erkannte mich: Im vollen Licht dunkler, als ich geglaubt hatte, und zwei Milliarden Mal reicher.*[113]

Aber auch hier verbirgt sich eine tiefe Differenz hinter dem Bild der Freundschaft, das Sartre malt. Denn in den Augen Merleau-Pontys scheint seine ‹Bekehrung› gescheitert zu sein. «Sartre», schreibt er Anfang der fünfziger Jahre am Ende ihres kurzen gemeinsamen Wegs, «ist nur deshalb kein Anarchist, weil er jäh von der Subjektpoesie zur Weltprosa übergeht.»[114] Sartres Sich-Öffnen für die Dimension der Geschichte erscheint ihm willkürlich, ja er verurteilt «Sartres Bemühen, seiner Philosophie der Freiheit und des Anderen die Geschichte anzugliedern»[115] als in seiner Konsequenz potenziell gewalttätig. Denn die Absolutheit der Freiheit, so wie Sartre sie behaupte, bedeute den Anspruch, Welt, Geschichte durch das Handeln, die ‹reine Aktion› einiger Einzelner neu zu begründen, die «identisch ist mit dem Gehorsam der anderen»[116].

Maurice Merleau-
Ponty

Die Perspektive, aus der heraus Merleau-Ponty dieses harte, kompromisslose Urteil fällt, ist die des Marxismus, die der marxistischen Geschichtsphilosophie. Für ihn ist die Geschichte, ihr tatsächlicher Verlauf die Probe auf den Wahrheitsgehalt des Telos, das Marx beschreibt: Eine Welt, in der die Freiheit aller an die Stelle von Herrschaft und Unterdrückung getreten ist. Wenn es sich zeigt, dass Geschichte nicht der Prozess der Verwirklichung der Freiheit ist, gibt es keine Geschichte. «Sind die Knechte, indem sie ihre Herren enteignen, auf dem Wege, die Alternative von Herrschaft und Knechtschaft zu überwinden? [...] Wenn diese Entwicklung ausbliebe, bedeutete das nicht, daß die marxistische Geschichtsphilosophie durch eine andere ersetzt werden müßte; es bedeutete, daß es keine Geschichte gibt, wenn die Geschichte die Heraufkunft einer Menschheit ist und die Menschheit die gegenseitige Anerkennung der Menschen als Menschen; daß es folglich auch keine Geschichtsphilosophie gibt. [...] daß die Welt und unser Dasein ein wahnwitziges Getümmel ist.»[117]

Die Geschichte entscheidet über die Wirklichkeit der Idee der Freiheit. Der Einzelne handelt in ihr, als Teil eines Geschehens, dessen Eigenlogik ihm entgeht. Und die Geschichte wird das Urteil über sein Handeln fällen: Ob es Teil der Verwirklichung der Freiheit war oder nur ein winziges Atom innerhalb eines «wahnwitzigen Getümmels». Von diesem Begriff der Geschichte her polemisiert Merleau-Ponty gegen Sartre, gegen dessen Begriff

Maurice Merleau-Ponty (1908–1961) und Sartre verbindet zuerst ihre gemeinsame Faszination durch die Phänomenologie Husserls. Anders als für Sartre jedoch ist für Merleau-Ponty das Ich kein Zentrum seines Denkens. Er fragt nach den Gestalten objektiven Sinns: Kulturen, Sprachen, Institutionen, in denen Individuen immer schon sind, ihren Ort haben, statt dass der Mensch den Dingen der Welt in einsamer Freiheit gegenüberstünde. Das Cogito Descartes', das seiner selbst bewusste Ich ist nur eine späte Gestalt der metaphysischen Selbstdeutung des Menschen. Merleau-Pontys «Phänomenologie der Wahrnehmung» beschreibt ein ursprünglicheres Bewusstsein, das nicht erst denkend, sondern in jedem Akt seines Wahrnehmens Sinn produziert, den Eindruck der Dinge umformt zum Ausdruck seiner selbst. Für Sartre, so Merleau-Ponty, gibt es nur Menschen und Dinge. Er selbst will den Ort beschreiben, an dem beide sich berühren, statt sich als Subjekt und Objekt gegenüberzustehen.

der uneingeschränkten Verantwortlichkeit des Individuums und sieht in ihm nichts als einen verschleierten Idealismus, ein verkapptes kantisches moralisches Subjekt, das diesseits der Welt über das Recht ihrer Gestalten zu urteilen beansprucht. Die Wirklichkeit der Welt ist in seinen Augen zuerst eine der Gewalt, und dies nicht zu sehen heißt nur, sich als reines Subjekt zu begreifen, als ‹schöne Seele› zu gerieren. «Wir haben nicht die Wahl zwischen Unschuld und Gewalt, sondern zwischen verschiedenen Formen der Gewalt. Die Gewalt ist unser Los dadurch, daß wir inkarniert sind. [...] Was zählt oder worüber man diskutieren muß, ist nicht die Gewalt, sondern ihr Sinn oder ihre Zukunft.»[118] Von dieser behaupteten Evidenz der Gewalt her, von der Behauptung des möglichen Sinns der Gewalt her verteidigt Merleau-Ponty einen Humanismus, der bereit ist, um seines Ziels willen den Einzelnen zu opfern: «Man darf diejenigen opfern, die gemäß der Logik ihrer Befindlichkeit eine Drohung bedeuten, und denen den Vorzug geben, die ein Versprechen der Menschlichkeit sind.» [119]

Wie vermag Sartre seinen ‹anarchischen› Begriff der Freiheit gegen diese absolute Strenge der Geschichtsphilosophie, gegen diesen gewaltbereiten Humanismus zu behaupten? Merleau-Ponty unterstellt ihm einen «Kurzschluss, der direkt von der Freiheit zur Partei führt» [120]. Denn für Sartre bleibe das absolute Gegenüber von Ich und Anderem bestimmend, «Welt und Geschichte sind nicht mehr ein System mit mehreren Zugängen, sondern ein Bündel unverträglicher Perspektiven, die niemals koexistieren, und das allein der jeder Hoffnung beraubte Heroismus des Ich zusammenhält» [121]. Der Anarchist wird unmittelbar zum Heros, sein «Marxismus der Innerlichkeit» [122] lässt ihn sich mit der Partei als ‹Avantgarde› des geschichtlichen Prozesses identifizieren.

Merleau-Pontys Angriff verzeichnet das Bild Sartres zu dem eines autoritären Anarchisten, der in seinem absolutistischen Wahn glaubt, über die Geschichte entscheiden zu können. In diesem Angriff reflektiert sich die Zerrissenheit dessen, der ihn führt: Merleau-Ponty zweifelt, verzweifelt an der ‹Wahrheit der Geschichte›, für die er mit seinem Denken eingetreten ist. Das Drama, das er beschreibt, ist das der Alternative von absolutem Sinn oder «wahnwitzigem Getümmel». Die Geschichte wird über diese Alternative entscheiden – kein Moralismus verstiegener Intellektueller oder «Ultra-Bolschewisten» wie Sartre. Für Merleau-Ponty ist Sartre zuletzt nur ein abstrakter Moralist, der anmaßend von «Verantwortlichkeit» spricht.

Entgegen diesem Urteil Merleau-Pontys, seiner Eindeutigkeit, die sich seinem Beharren auf einem möglichen absoluten Sinn der Geschichte verdankt, ist erst zu fragen, was Sartres immer entschiedenere Hinwendung zum Marxismus und darüber hinaus zum Kommunismus für sein Denken bedeutet? Was bedeutet sie zuerst für sein Handeln? Welche Haltung nimmt er ein, wenn es darum geht, angesichts der gewalttätigen Wirklichkeit des Kommunismus *das Wahre über unsere Welt und unser Leben zu sagen*? Es geht in den Debatten innerhalb der Redaktion von «Les Temps Modernes» konkret um den Terror des Stalinismus. Die Nachrichten von der Existenz der Lager in der Sowjetunion fordern eine Stellungnahme. Soll man sie relativieren, gar unterdrücken, um das Land nicht zu diskreditieren, in dem der Kommunismus, das Versprechen einer Welt der Gerechtigkeit, wirklich geworden ist? Bedeutet dies aber nicht, um des Zwecks willen Mittel gutzuheißen, die diesem Zweck Hohn sprechen? Und – man befindet sich bereits in der Situation des Kalten Kriegs – heißt nicht den Kommunismus zu kritisieren sich auf die Seite der Antikommunisten zu stellen, auf die Seite der USA, des Imperialismus, des Kolonialismus? «Les Temps Modernes» veröffentlicht im Januar 1950 einen Bericht über die Lager.

Sartre und Merleau-Ponty versuchen, ihrer widerstreitenden Positionen bewusst, eine gemeinsame Haltung zu finden: Die des Intellektuellen, der auf der Seite des Kommunismus steht, ohne den Kommunisten, ihrer Partei anzugehören, der sich dem Antikommunismus verweigert, ohne deshalb darauf zu verzichten, die Wirklichkeit des Kommunismus zu kritisieren. Eine fragile Balance, die Sartre in ganz anderer Weise als Merleau-Ponty in eine unauflösliche Aporie treibt. Denn ihm bleibt der Gedanke eines notwendigen Telos der Geschichte fremd, sein Ausgangspunkt bleibt das Handeln des Einzelnen. Die Gegenwart der Gewalt hinzunehmen angesichts der Erwartung einer zukünftigen «befreiten Menschheit» bedeutete für ihn, auf seinen Begriff der Freiheit zu verzichten. Umgekehrt ist es ihm Ernst mit seinem Bekenntnis zur Geschichte, zu einem den Einzelnen umgreifenden Geschehen, in dem er als Freiheit zu bestehen hat.

Zugleich ist Sartres und Merleau-Pontys politische Entwicklung von einer seltsamen Gegenläufigkeit. Der «Stalinist» Merleau-Ponty, als den ihn Camus im Blick auf sein Buch «Humanismus und Terror» beschimpft hat, rückt in immer größere Distanz zum Kommunismus – Sartre, der Anarchist, glaubt immer deutlicher, einzig durch die Solidarität mit den Kommunisten eine handlungsfähige Linke bewahren zu können. *Wir waren beide durch äußere Ereignisse beeinflußt worden, aber in entgegengesetztem Sinn. Langsam angewachsener Ekel hatte plötzlich im einen den Abscheu vor dem Stalinismus, im anderen den vor seiner eigenen Klasse gezeigt. Im Namen der Prinzipien, die sie mir eingeimpft hatten, im Namen ihres Humanismus und ihrer humanistischen Bildung, im Namen der Freiheit, der Gleichheit, der Brüderlichkeit schwor ich der Bourgeoisie einen Haß, der erst mit meinem Leben enden wird.*[123] Es ist, als ob Sartre nach zwanzig Jahren das Erbe seines Freundes Nizan anträte.

Dieser Entscheidung Sartres, Partei für die Kommunisten zu nehmen, die er erst 1956 angesichts der Niederschlagung des Aufstands in Ungarn durch die Sowjetunion revidieren wird, ging ein politisches Scheitern voraus. 1948 hatte Sartre sich an der Gründung der «Revolutionären Demokratischen Sammlung» führend beteiligt: einer Gruppe, die unabhängig von den etablierten Parteien einen «dritten Weg» jenseits der Alternative von Kapitalismus und Kommunismus propagierte, einen Weg, der Sozialismus und Freiheit eint. Die anfänglich erfolgreiche, von prominenten Intellektuellen getragene Bewegung zerbrach bald an einer Mischung aus Inkompetenz im Blick auf die Notwendigkeiten strategischen Handelns im Raum des Politischen und ideologischen Verdächtigungen und Streitereien.

Im Februar 1948 wurden wir nach Berlin eingeladen. […] Mir war nicht wohl zumute, als ich in den Zug nach Berlin einstieg. Der Gedanke, Deutsche zu sehen und mit ihnen zu sprechen, war mir zuwider. […] Kaum hatte ich den Fuß auf Berliner Boden gesetzt, da war mein Groll verflogen: Überall Ruinen. So viele Krüppel – und was für ein Elend! Alexanderplatz, Unter den Linden, alles lag in Trümmern. […] Die Aufführung von *Die Fliegen* fanden wir verwirrend. Man hatte das Stück im expressionistischen Stil inszeniert. Die Bühnenbilder schienen aus der Hölle zu stammen: Der Tempel des Apoll ähnelte dem Innern eines Bunkers. Ich fand die Aufführung nicht gut. Aber das Publikum applaudierte begeistert, weil es aufgefordert wurde, sich von seinen Gewissensbissen zu befreien. In seinen Vorträgen – die ich nicht besuchte, weil ich lieber zwischen den Trümmern umherwanderte – wiederholte Sartre, daß es besser sei, die Zukunft aufzubauen, als die Vergangenheit zu beklagen.

Simone de Beauvoir: Der Lauf der Dinge

Für Sartre war dies die Erfahrung, deren es noch bedurfte, um überzeugt zu sein, dass ein Handeln außerhalb der etablierten politischen Gewalten zur Bedeutungslosigkeit verurteilt ist. In dieser Perspektive bleibt dann nur noch die Alternative, «für» oder «gegen» ein System zu sein: eine Sackgasse der politischen Urteilskraft.

Verrät Sartre sein Denken? Verrät er, indem er zum Marxisten wird, das bestimmende Motiv seines Denkens: die Kontingenz, die Zufälligkeit des Daseins des Einzelnen, der doch als dieser Einzelne die Wirklichkeit der Freiheit ist? Denn, so Sartre in der Rückschau, *ich war dazu geschaffen, die Kontingenz zu entdecken,* und wenn man *die marxistischen Gedanken zu Ende denkt, dann gibt es eine notwendige Welt, es gibt keine Kontingenz, nur Determinismen, Dialektik; es gibt keine kontingenten Tatsachen.*[124] Verrät er sein Denken an einen Begriff der Geschichte, der das Glück der Menschheit als ihr Telos bestimmt, dem sich das Handeln der Einzelnen unterzuordnen hat? Sartre bleibt dieses metaphysische Versprechen eines allgemeinen Glücks fremd. Die Marxisten, schreibt er im selben Augenblick, in dem er sich ihnen annähert, *beanspruchen, das Glück der Art zu verwirklichen. Was aber ist ein Glück, das nicht empfunden, erfahren wird? Glück ist wesensmäßig Subjektivität. Wie könnte es unter der Herrschaft des Objektiven bestehen?*[125] Er glaubt nicht an diesen Heroismus: den eines Handelns, das sich einer Idee, der der Geschichte, unterwirft. Der Revolutionär, so wie er ihn versteht, weiß, *daß ein nicht anzugleichender Rückstand bleibt, der die Andersheit, die Irrationalität, die Undurchsichtigkeit des Wirklichen ist, und daß es dieser Rückstand ist, der zuletzt erstickt, zermalmt. [...] Der Krieg von 1914 ist nicht [...] «Descartes gegen Kant», er ist der unsühnbare Tod von zwölf Millionen junger Menschen.*[126] Sartre anerkennt die Situiertheit des Menschen in der Geschichte, er nimmt Partei für die Klasse der Arbeiter gegen die der Bourgeoisie, gegen ein System der Ausgrenzung und Ausbeutung. Aber er verweigert sich einer Philosophie, die den Widerstand des Einzelnen zum Medium der Verwirklichung ihrer Idee der Geschichte erniedrigt. *Will der Revolutionär handeln, so darf er die geschichtlichen Begebenheiten nicht als*

das Ergebnis von gesetzlosen Zufälligkeiten betrachten; aber er ver-
langt keineswegs, daß sein Weg schon bereitet sei: Er will ihn im
Gegenteil selbst bahnen. Unveränderliche Größen, gewisse Teilfol-
gen, Baugesetze im Innern von fest bestimmten sozialen Formen, das
ist es, was er benötigt, um vorauszusehen. Gibt man ihm mehr, *so*
verflüchtigt sich alles in die Idee; die Geschichte braucht nicht mehr
gemacht, *sondern nur von Tag zu Tag* gelesen *zu werden; das Wirk-*
liche wird ein Traum.[127]

Trotz dieser Distanz bedeutet allein schon die Anerkennung der Klasse als eines historischen Subjekts für Sartre
einen Selbstwiderspruch. Denn das Subjekt, von dem sein
Denken ausgeht, ist der Einzelne, für den die Anderen – als solche, gleichgültig welcher Klasse sie angehören – die sind, die
einzig die Außenseite seines Selbst repräsentieren, eine fremde
Freiheit. Das Phänomen, der Begriff der Klasse jedoch nivel-
liert die Absolutheit des Einzelnen, behauptet ihn, seine Identität, als bestimmt durch die Zugehörigkeit zu einem allgemeinen Subjekt. Sartre windet sich. Der *revolutionäre Akt* ist nun
für ihn *keineswegs der einer anarchistischen und individualisti-*
schen Freiheit [128]. Die Freiheit des Revolutionärs liegt vielmehr
in der Tat, mit solcher er die Befreiung seiner ganzen Klasse und, all-
gemeiner, der ganzen Menschheit verlangt. Seine Freiheit ist wurzel-
haft die Anerkennung der anderen Freiheiten, und sie fordert, von
ihnen anerkannt zu werden. So stellt sie sich von Anfang an auf den
Standpunkt der Solidarität.[129] Aber dieser *Standpunkt der Solida-*
rität muss für Sartre ein leerer Imperativ sein und bleiben, statt
dass er ihm eine metaphysische, geschichtsphilosophische Begründung zu geben vermöchte. Wenn es in seinen Augen dem
Revolutionär darum geht, *dem Menschen die Möglichkeit zu ge-*
ben, sein ihm eigenes Gesetz zu erfinden[130], so plädiert er damit für
einen Marxismus, dessen Gesicht eher dem seinen gleicht als
dem von Marx. Der Sozialismus, sein Sieg, so Sartre, ist *durch-*
aus nicht gesichert. Derselbe liegt nicht am Ende des Weges wie et-
wa ein Grenzstein; sondern er ist der *menschliche Entwurf.*[131] Statt
einer bloß behaupteten Logik der Geschichte entscheidet das
Handeln der Einzelnen in seiner Kontingenz über das Wirk-
lichwerden dieses Entwurfs.

Sartre versucht einen Spagat, der nicht gelingen kann. Aus seiner Philosophie der Freiheit, wie sie *Das Sein und das Nichts* begründet, lässt sich kein Humanismus, keine Solidarität der Individuen, die auf der Gemeinsamkeit ihres Menschseins beruht, begründen. In *Der Ekel* hatte er den Humanismus als ein Monstrum beschrieben, das alles Widerständige in sich aufsaugt und verdaut, eine widerwärtige *Harmonie des Ganzen*, der man sich entziehen muss, statt sie anzugreifen, will man nicht ihr Opfer werden: *Ich werde nicht die Dummheit begehen, mich als ‹Anti-Humanisten› zu bezeichnen. Ich bin kein Humanist, das ist alles.*[132] Jetzt gibt er einem berühmt gewordenen Vortrag den Titel *Der Existentialismus ist ein Humanismus.* Gerade dieser

Willy Ronis,
«Der Existen-
tialismus»,
1946

Vortrag aber offenbart, wider seinen Willen, das Aporetische seiner philosophischen Position. Pathetisch heißt es: *Indem wir sagen, daß der Mensch sich wählt, verstehen wir darunter, daß jeder unter uns sich wählt; aber damit wollen wir ebenfalls sagen, daß, indem er sich wählt, er alle Menschen wählt. Tatsächlich gibt es nicht* eine *unserer Handlungen, die, indem sie den Menschen schafft, der wir sein wollen, nicht gleichzeitig ein Bild des Menschen schafft, so wie wir meinen, daß er sein soll [...] indem ich mich wähle, wähle ich den Menschen.*[133] Er identifiziert den konkreten Einzelnen, sein Handeln mit dem moralischen Subjekt Kants, das in sich die Menschheit repräsentiert weiß – ohne dass Sartres Philosophie dies zu begründen vermag. *Ich kann gewiß nicht eine Freiheit beschreiben, die dem andern und mir selbst gemeinsam ist*: Dieser Satz bildet das Zentrum von *Das Sein und das Nichts.*[134] In ihm liegt die Absage an den Humanismus, an ein den Menschen gemeinsames Wesen beschlossen. Dass ich mich in meinem Handeln auf ‹das Bild des Menschen› verpflichte, ist dann eine kontingente moralische Entscheidung. Wenn Sartre hier die Verweigerung dieser Entscheidung für den Menschen als Böswilligkeit behauptet, spricht er in der Tradition des Idealismus – aber widerspricht seiner eigenen Philosophie.

Gibt es einen Sinn des Menschseins unabhängig von der kontingenten Existenz der einzelnen Menschen, der Kontingenz ihres Handelns? Das ist die entscheidende Frage, die Frage, die Sartre mit einem eindeutigen Nein beantwortet hatte. Dieses Nein artikulierte seinen Anspruch, mit der Tradition des Idealismus zu brechen. Jetzt, wo er die Geschichte und die Dimension des politischen Handelns für sich entdeckt hat, will er die Frage nicht mehr unabhängig von strategischen Überlegungen beantworten. Er will nicht mehr aus der reinen Konsequenz der philosophischen Reflexion sprechen, sondern ‹als ein Handelnder in der Geschichte›.

In seinem spektakulären Zerwürfnis mit Camus offenbart sich die Zerrissenheit seiner Haltung. Dieses Zerwürfnis erscheint wie die Explosion eines lange schwelenden Konflikts, in der die fragile Balance der Standpunkte einem unversöhn-

lichen Gegenüber weicht. Es beginnt mit einem bereits ange-
deuteten Affront: Nach dem Erscheinen von «Humanismus
und Terror» im Jahr 1947 beschimpft Camus bei einem abend-
lichen Essen unter Freunden Merleau-Ponty als Stalinisten, bezichtigt ihn, den kommunistischen Terror zu rechtfertigen.
Merleau-Ponty verteidigt sich, Sartre versucht zu vermitteln –
vergebens. Die Situation führt zum Eklat, Camus verlässt de-
monstrativ den Ort, den hilflos ihm nacheilenden Sartre ab-
schüttelnd. Er verdächtigt ihn, Merleau-Ponty näher zu stehen
als ihm. Und tatsächlich sieht sich Sartre, der zunächst seinen
Versuch, nach beiden Seiten hin zu vermitteln, nicht aufgibt,
im Lauf der Zeit immer deutlicher auf der Seite Merleau-Pontys. Immer klarer scheint ihm, dass eine absolut gesetzte Freiheit des Individuums eine hoffnungslose Naivität bedeutet angesichts der Wirklichkeit einer Welt der Gewalt. Und dass,
wenn diese Welt in der gegenwärtigen geschichtlichen Situation eine geteilte ist, der Kapitalismus nichts als die Logik des
Geldes repräsentiert, der Kommunismus jedoch, trotz seiner
Verbrechen, für eine Idee steht, für die einer Welt der Gerechtigkeit.

  Camus und Sartre versöhnen sich scheinbar. Dann aber erscheint 1952 Camus' Essay «Der Mensch in der Revolte»: eine
leidenschaftliche Absage an die Idee der Geschichte, an einen
ihr eigenen absoluten Sinn. Diese Idee, dass die Geschichte ein
notwendiges Ziel habe, leugnet die Gegenwart, die Wirklichkeit unseres Lebens um einer abstrakten Zukunft willen. Sie
bedeutet eine absolute Verneinung, wer ihr anhängt, «verurteilt sich zu jeder Knechtschaft, um ein Ja hervorzubringen,
das an die Grenze der Zeiten hinausgeschoben ist»[135]. Der
Glaube an eine absolute Zukunft rechtfertigt den Terror in der
Gegenwart. Tatsächlich aber, so Camus, gibt es kein Handeln,
das sich eines seine Kontingenz übersteigenden Sinns zu versichern vermöchte. «Wir können nur in dem Augenblick handeln, der uns gehört, unter den Menschen, die uns umge-
ben.»[136] Und wir wissen nicht, was aus unserem Handeln folgen wird – und sind doch für es verantwortlich.

  Camus beschreibt den revoltierenden Menschen als Ge-

genbild zum Revolutionär, dessen Wahrheit absolut und darin nihilistisch ist. In der Revolte erfährt der Mensch einen We r t. Der Sklave, der sich auflehnt, entdeckt die Würde seines Menschseins, entdeckt sich als Freiheit. Der Verzweifelte, der gegen die Sinnlosigkeit seines Daseins protestiert, glaubt doch an seinen Protest. Der Mensch, so Camus, ist das Wesen, das einen Sinn hat, weil es einen Sinn fordert. Es geht um die Bejahung, die im Akt der Revolte liegt und über das Empfinden des Absurden der menschlichen Existenz hinausführt. Es geht, so hatte Sartre es selbst behauptet, um die Freiheit, die die bloße Kontingenz verneint. Und zugleich beschreibt Camus die Wirklichkeit der Solidarität der Menschen – diesseits des Humanismus, der Metaphysik der Geschichte. Es g e s c h i e h t, dass ein Mensch sich angesichts der Gewalt, die einem Anderen angetan wird, empört. Darin, in diesem Phänomen sieht Camus die einzige fragile Gewähr der Gemeinschaft der Menschen: «Ich empöre mich, also sind wir.»[137] Mehr zu verlangen hieße, sich dem Nihilismus auszuliefern: die Spuren der Menschlichkeit zu verleugnen, die Spuren von Sinn sind – zugunsten einer Idee des Menschen, eines absoluten Sinns an der Grenze der Zeiten.

«Der Mensch in der Revolte» leugnet nicht die Geschichte. Wir müssen handeln, statt narzisstisch im Empfinden des Absurden zu verharren. Was Camus anklagt, ist einen Messianismus der Geschichte, einen maßlosen Größenwahn des Menschen, den Wahn, eine vollkommene Welt zu schaffen. Die Wirklichkeit, die Gegenwart ist dann nur noch ein Teil des Weges zu diesem Ziel hin, alles besitzt seinen Wert nur von ihm her. Das aber heißt, dass alles in seinem eigenen Recht, zu sein, verneint ist. Es heißt, dass zuletzt der eine unhintergehbare Wert – das L e b e n des Menschen – als Wert verneint, der Geschichte unterworfen wird.

Sein Buch erscheint – und Camus wartet auf eine Antwort Sartres in «Les Temps Modernes». Sartre will nicht antworten. Er schickt einen anderen, zweitklassigen Autor vor, der die an ihn delegierte Aufgabe eines Verrisses schon im Titel seiner Rezension erfüllt: «Albert Camus oder die revoltierende Seele».

Eine Anspielung auf Hegels Begriff der «schönen Seele» in der «Phänomenologie des Geistes», die die Berührung mit der Wirklichkeit scheut, um die Reinheit ihrer Einsicht nicht zu beflecken. Der Artikel mündet in einen einzigen Vorwurf: Camus wolle in einer haltlosen gedanklichen Demonstration beweisen, dass die marxistische Doktrin notwendig auf den Stalinismus hinauslaufe.

Camus antwortet, er antwortet nicht dem Rezensenten, sondern Sartre, dem Herausgeber der «Temps Modernes». Seine Antwort dokumentiert seine Gekränktheit, Verletztheit. Aber sie beharrt auf der Grundthese seines Essays: dass der Messianismus der Geschichtsphilosophie Gewalt hervorbringt und Gewalt legitimiert. «Es scheint mir jedenfalls schwierig, wenn man glaubt, daß der autoritäre Sozialismus die wichtigste revolutionäre Erfahrung unserer Zeit ist, sich nicht mit dem Terror abzufinden, den er voraussetzt, gerade heute, und zum Beispiel [...] mit der Tatsache der Konzentrationslager. Keine Kritik an meinem Buch, ob sie nun dafür oder dagegen ist, kann dieses Problem übergehen.»[138] Und zugleich benennt er konsequent die Aporie Sartres: Der Existentialismus «wäre ja in seinen Grundlagen selbst bedroht, wenn er die Vorstellung von einem vorhersehbaren Endzweck der Geschichte annähme. Um sich mit dem Marxismus zu versöhnen, müßte er letztlich folgende schwierige Aussage beweisen: Die Geschichte hat keinen Endzweck, aber sie hat einen Sinn, der ihr jedoch nicht transzendent ist. Diese gewagte Versöhnung ist vielleicht möglich, und mir wäre nichts lieber, als sie zu lesen. Aber solange sie nicht hergestellt worden ist und solange Sie den Widerspruch hinnehmen, den Ihr Artikel bezeugt, werden Sie bestimmten Konsequenzen, die mir zugleich frivol und grausam erscheinen, nicht entgehen können. Den Menschen von jeder Fessel befreien, um ihn dann praktisch in einer historischen Notwendigkeit einzusperren, heißt ja ihm zunächst seine Gründe zum Kämpfen nehmen, um ihn dann in irgendeine beliebige Partei zu werfen, sofern diese nur keine andere Regel als die Wirksamkeit hat. Das heißt dann, nach dem Gesetz des Nihilismus, von der äußersten Freiheit zur äußersten Notwendigkeit gehen.»[139] Wirksamkeit um jeden Preis – das ist es, was Camus Sartre unterstellt, darum wähle dieser die marxistische Lehre, ohne wirklich an sie zu glauben, denke er im Sinne der Freiheit und votiere in dem der Notwendigkeit: «Aber man verliert alles, wenn man alles gewinnen will.»[140] Welche Haltung offenbart sich darin, «das Individuum theoretisch zu befreien» und zugleich praktisch zuzulassen, «daß der Mensch unter bestimmten Bedingungen unterjocht werden kann?»[141]

Sartres Antwort ist brutal in ihrer Selbstgerechtigkeit und Häme, beleidigend in ihrem direkten persönlichen Angriff. Er bezichtigt Camus, sich als ein Gott, eine unangreifbare moralische Instanz zu gebärden. *Aber sagen Sie doch, Camus, wie soll das zugehen, daß man nicht über Ihre Bücher diskutieren kann, ohne daß man der Menschheit ihre Gründe zu leben nimmt?*[142] Er bezichtigt ihn, der anders als er selbst in der Résistance kämpfte, den Mythos seines Heldentums zu benutzen, um seinem Werk Autorität zu verleihen: *«Der Mensch in der Revolte» wäre weder besser noch schlechter, wenn Sie der Résistance ferngeblieben oder wenn Sie deportiert worden wären.*[143]

Sartre weicht Camus' Argumenten aus, indem er seine Haltung als die eines weltlosen, seine Bedeutung maßlos überschätzenden Moralisten diffamiert: *Hat vielleicht die Republik der Schönen Seelen Sie zu ihrem öffentlichen Ankläger bestellt?*[144] Camus' Aufforderung an ihn, sich zu der Existenz der Lager in der Sowjetunion zu bekennen und sie, wenn er denn konsequent sein will, zu rechtfertigen, behauptet Sartre als der Methode eines Polizeispitzels gemäß, als die Erpressung durch einen Inquisitor: *Wir sind auf dem Quai des Orfèvres, neben uns marschiert ein Bulle, seine Stiefel knarren wie im Kino: «Hör zu, wir wissen alles. Wenn du schweigst, machst du dich nur noch verdächtiger. Also los, gib zu, daß du davon weißt. Du kennst sie doch, diese Lager? Ja? Raus mit der Sprache! Dann hast du es hinter dir. Und das Gericht rechnet es dir als mildernden Umstand an.»*[145] Das ist infam, verkehrt alles. Und es wird nicht besser, wenn Sartre in scheinbarem Einvernehmen schreibt: *Ja, Camus, ich finde diese Lager wie Sie untragbar: Aber ebenso untragbar die Art, wie die «sogenannte bürgerliche Presse» sie jeden Tag ausschlachtet.*[146] Die

Existenz der Lager wird zu einem bloßen Faktor im Machtspiel der «Blöcke»: für die «bürgerliche Presse» wie für Sartre. Aber bedeutet die Tatsache, dass die Antikommunisten die Lager systematisch funktionalisieren, um alle Kritik an den Missständen des kapitalistischen Systems zum Schweigen zu bringen, das Recht, dasselbe zu tun, den Schrecken dieser Lager zu relativieren? Sartre lässt sich darauf gar nicht ein. Er weicht Camus aus, indem er ihn diffamiert. Er leugnet die Lager nicht, aber er weigert sich, sie absolut, unabhängig von strategischen Überlegungen zu verurteilen.

Auch darum muss es ihm gehen, Camus als naiven, anmaßenden Moralisten hinzustellen, der unfähig ist, in den Dimensionen der Geschichte zu denken, ja der die Bedeutung der Geschichte gar nicht zu begreifen vermag. Geschichte ist für Camus, so Sartre, nur eine flüchtige Unterbrechung seines ewigen Kampfs mit den Mächten des Schicksals, sie stört seine naive Freude an der Natur, an dem *Gesang der Vögel. Nachdem Sie Ihre fünf Jahre Geschichte hinter sich hatten, glaubten Sie, zur Verzweiflung zurückkehren zu können, aus der der Mensch sein Glück schöpfen soll.*[147]

Es ist Hass, der hier spricht: Hass Sartres auf sein Alter Ego, das ihm spiegelt, was er in sich selbst zurückzudrängen sucht. Die Hinrichtung Camus' soll ihn von sich selbst befreien, von dem M o r a l i s t e n, der er selbst ist, in der Bedeutung, die dieser Begriff in der französischen Tradition hat: kein weltloser Verteidiger der Moral, keine «schöne Seele», sondern ein Philosoph, ein Schriftsteller, der die Wirklichkeit des Menschen beschreiben will gegen den Anspruch der Systeme der Philosophie, seine Wahrheit zu bestimmen. Acht Jahre später hat Sartre in seinem Nachruf auf Camus diesen eindeutig in die Tradition der französischen Moralisten gestellt – nicht ohne auch jetzt noch das Moralische gegen die Praxis auszuspielen. Camus habe sich geweigert, sich auf *die ungewissen Pfade der Praxis* zu begeben.[148] In Wahrheit hatte er diese ungewissen Pfade gegen die Selbstgewissheit der Geschichtsphilosophie verteidigt, das Handeln der Menschen gegen die Behauptung einer «Logik der Geschichte».

Sartre lässt Camus hinter sich. Er ist ‹wirksam›: Er veröffentlicht 1952 *Die Kommunisten und der Frieden,* eine eindeutige Stellungnahme für die Sowjetunion, die, ökonomisch Amerika unterlegen, gar kein Interesse habe, Krieg zu führen und in ihrem pragmatischen Friedenswillen zu unterstützen sei. Er nimmt im selben Jahr in führender Rolle teil am von den Kommunisten organisierten «Weltfriedenskongress» in Wien. Er reist 1954 in die Sowjetunion und kehrt zurück, beeindruckt über diese Neue Welt berichtend – Jahre später gibt er zu, Dinge gesagt zu haben, die er nicht wirklich dachte. Er veröffentlicht zwei Theaterstücke, *Kean* und *Nekrassov,* die die Wahrheit des Kommunismus feiern und die Angst der Bürger vor den aufbegehrenden Massen glossieren. Während seines Aufenthalts in Wien hatte er die dortige Aufführung von *Die schmutzigen Hände* untersagt: Das Stück, 1948 uraufgeführt, erzählt die Geschichte eines jungen Kommunisten, der seiner bürgerlichen Herkunft durch einen Mord zu entkommen sucht, den er ‹im Namen der Sache› begehen will. Sein individuelles moralisches Drama wird aufgesogen in eine Logik des Geschehens, die über ihn hinweggeht, exekutiert von solchen, die nichts anderes als das Interesse dieser Sache zu kennen bereit sind. Das Stück war als «antikommunistisch» aufgefasst worden – zu Unrecht, wie Sartre nun sagt: Er habe nur die Kollision von Moral und Praxis darstellen wollen.

Der Dramatiker Sartre ist hier kaum gegenwärtig. Der Grund ist, dass die Theaterstücke Sartres keine Texte sind, die man wie andere lesen und interpretieren kann: Sie sind geschrieben im Blick auf ihre Übersetzung in den Raum des Theaters, erweisen das Ganze ihres Gehalts erst in ihrer Darstellung auf der Bühne. Wäre dies anders, bliebe die Inszenierung eines Stückes ihm äußerlich. Sartres Wirkung als Dramatiker hatte ihren Höhepunkt in den fünfziger und sechziger Jahren. Aber er ist als solcher nach wie vor gegenwärtig. Herausgetreten aus den atmosphärischen Räumen eines pathetischen Existenzialismus werden seine Theaterstücke in anderer Weise sichtbar in ihrer Darstellung von Grundsituationen menschlicher Existenz.

Diese Kollision findet ihre entschiedenste Darstellung in dem 1951 uraufgeführten Stück *Der Teufel und der liebe Gott.* Sein Held Götz, von dem Sartre sagt, er werde ihn das tun lassen, was er selbst niemals

Sartre mit Pierre Brasseur, dem Darsteller des Götz
in «Der Teufel und der liebe Gott»; Pariser Aufführung 1951

zu tun vermöchte, nämlich konsequent zu handeln über die
Grenze des Verbrechens hinaus, formuliert das Resümee seines
Lebens: *Ich wollte das Gute. Torheit! Auf dieser Welt und zu dieser
Zeit sind Gut und Böse verquickt; ich muß mich abfinden, böse zu
sein, um gut werden zu können.*[149] Sartre behauptet die Leere der
Moral angesichts einer Wirklichkeit, die meine moralischen
Absichten und Zwecke in ihr Gegenteil verkehrt. Macht und
Gewalt bestimmen das Gesicht dieser Wirklichkeit: Diese Ein-
sicht wird für ihn identisch mit der, ‹den Idealismus der Freiheit› überwinden zu müssen. Diese ‹Überwindung› kostet ihn
für einige Jahre die Aufrichtigkeit seines Denkens und Sprechens.

Er selbst behauptet ein Jahrzehnt später, dass seine Ent-
schlossenheit, zu handeln, ihm erst eine Distanz zu sich selbst,

zu seinem Denken, zu seinem illusionären Selbstbild des ‹Schriftstellers› ermöglicht habe. 1954 hat er eine erste Fassung von *Les Mots* geschrieben, zehn Jahre später erst den Text überarbeitet und veröffentlicht. *Zu jener Zeit haben mich, infolge von politischen Ereignissen, meine Beziehungen zur kommunistischen Partei lebhaft beschäftigt. In die Atmosphäre der Aktion geworfen, habe ich plötzlich klar die Neurose durchschaut, die mein ganzes früheres Werk beherrschte. Vorher hatte ich sie nicht erkennen können: Ich steckte darin. [...] Das Spezifische jeder Neurose ist, daß sie sich ganz natürlich gibt. Ich betrachtete es mit Gelassenheit, zum Schreiben geschaffen zu sein. Im Bedürfnis, meine Existenz zu rechtfertigen, hatte ich aus der Literatur etwas Absolutes gemacht. Dreißig Jahre habe ich gebraucht, um mich von dieser Geistesverfassung zu befreien. Als meine Beziehungen zur kommunistischen Partei mir den nötigen Abstand gegeben hatten, beschloß ich, meine Autobiographie zu schreiben. Ich wollte zeigen, wie ein Mann von der als geheiligt angesehenen Literatur zur Aktion übergehen kann, die gleichwohl die eines Intellektuellen bleibt.*[150]

Aber es geht nicht darum, ob seine Aktion die eines Intellektuellen blieb. Es geht darum, dass er sich zum Parteigänger einer Doktrin gemacht hat, die verachtet und mit Füßen tritt, was den innersten Gehalt seines Denkens ausmacht: die Würde der Existenz des einzelnen Menschen in seiner Kontingenz, in der Kontingenz seiner Freiheit. *Ich war ein Neubekehrter in einer anderen Welt,* so Sartre, lakonisch hinzufügend: *Im übrigen war mir inzwischen klar geworden, daß auch die Aktion ihre Schwierigkeiten hat und daß man auch zu ihr durch eine Neurose geführt werden kann. Man wird ebensowenig durch die Politik gerettet wie durch die Literatur.*[151]

1956, angesichts des Aufstands in Ungarn und seiner gewalttätigen Niederschlagung durch die Sowjetunion, findet Sartres Identifikation mit dem Kommunismus ihr plötzliches Ende. Waren diese vier Jahre von 1952 bis 1956 nur eine Verblendung, ein Furor des Handelnwollens, des Wirksamseinwollens um jeden Preis, vor dem Hintergrund eines manichäischen Weltbildes, in dem Gut und Böse sich absolut gegenüberstehen? Bedurfte Sartre eines solchen Weltbildes, um vom Moralisten zum Handelnden zu werden? Bedurfte er der Identifikation mit der realen Macht, die die Kommunisten bedeuteten, um zu handeln?

«Haben Sie nie Ihr Vertrauen auf eine Minderheit gesetzt?», fragt ihn 1975 Michel Contat im Blick auf seine kompromisslose Parteinahme für die Kommunisten in diesen Jahren. Und Sartre antwortet: *Seither schon...*[152]

Nach der Zäsur von 1956 versucht Sartre, der Aufforderung, die Camus an ihn gerichtet hatte, zu entsprechen: einen Begriff der Geschichte zu beschreiben, der mit der Kontingenz der Existenz des Menschen zusammen zu bestehen vermag. Es geht nicht darum, zurückzukehren zu dem geschichtslosen Ort von *Das Sein und das Nichts*. Sartre hat seine Identifikation mit dem Kommunismus hinter sich gelassen. Das heißt nicht, dass er seine Erfahrung, was der Marxismus für das Begreifen der Wirklichkeit des Menschen bedeutet, nun als einen Irrtum verstünde. Die Philosophie Marx' bleibt für ihn bestimmend. Aber anders als vorher sieht und beschreibt er das, was ihre Grenze ausmacht, was sie nicht zu fassen vermag: den Menschen als ein Individuum. Es geht darum, ein Denken zu entwickeln, das den Menschen in seiner objektiven Bedingtheit und geschichtlichen Situiertheit bestimmt – und das zugleich zu beschreiben vermag, wie er aus dieser Bedingtheit und Situiertheit heraus seinem Leben die eine, einzige Gestalt gibt, die es zu seinem macht, die die Gestalt seiner Individualität ist.

Was heißt es, einen
Menschen zu verstehen?

Für die Geschichte, als die eine große Geschichte der Menschheit, ist es gleichgültig, wer die Individuen sind, die ihr angehören, es sei denn, es handelt sich um die ‹großen›, die ‹weltgeschichtlichen› Individuen, in denen sich der Geist ihrer Zeit inkarniert, deren Handeln diesem Geist Gestalt gibt. Die Geschichte ist das Subjekt, das sich seinem Ziel, der Wirklichkeit der Freiheit aller, in einem beständigen Fortschreiten annähert.

Dies ist die These Hegels, die seine Philosophie der Geschichte bestimmt, es ist ebenso die von Marx. Dass Marx polemisch gegen die Philosophen behauptet, es komme darauf an, die Welt zu verändern, statt sie nur zu interpretieren, dass er «Klassen» und nicht «weltgeschichtliche Individuen» als die entscheidenden Akteure der Geschichte ansieht, ändert doch nichts daran, dass auch für ihn nicht das Handeln der Menschen, dass nicht ihr Wünschen und Wollen den Lauf der Geschichte bestimmt, sondern dass dieser einer Notwendigkeit folgt, angesichts derer der Einzelne bedeutungslos ist. Vor dem reinen Licht der Idee dieser Notwendigkeit verschwindet, so Hegel, «der Schein, als ob die Welt ein verrücktes, törichtes Geschehen sei»[153]. Diesem Geschehen der Welt eignet ein absoluter Sinn – ein Sinn, dessen Wahrheit unabhängig ist von den Einsichten und Absichten endlicher Menschen. Die Hegel'sche «List der Vernunft», die den Menschen suggeriert, sie verfolgten i h r e Zwecke, während sich tatsächlich durch sie hindurch eine unabhängige Logik des Geschehens verwirklicht – diese List der Vernunft ist auch für Marx der eigentliche Autor der Geschichte. Menschen glauben zu handeln – während sie nur ausführen, was die Notwendigkeit des geschichtlichen Prozesses gebietet.

Gegen diese Behauptung der Geschichte als eines souveränen Subjekts setzt Sartre nunmehr in aller Entschiedenheit die

Am Fenster seiner Wohnung, 42, rue Bonaparte

Wirklichkeit des geschichtlichen Menschen, die unaufhebbare Bedeutung seiner Existenz, seines individuellen Handelns. Er tut dies nicht im Sinne einer abstrakten Anklage, die gegen die Geschichte die Absolutheit des Individuums beschwört. Was er demonstrieren will ist, dass zwar ‹die Geschichte den Menschen macht› – dass aber jeder Mensch dies, was sie aus ihm macht, umformt zur einmaligen Gestalt seines Lebens. Dass umgekehrt Geschichte nicht zu begreifen ist jenseits des konkreten Handelns der Menschen, dass G e s c h i c h t e d i e d e r M e n s c h e n i s t. Es gibt Notwendigkeit in geschichtlichen Prozessen, aber diese ist niemals absolut. Kontingente Ereignisse vermögen den Lauf des Geschehens zu beeinflussen, unvermittelte Entscheidungen ihm eine plötzliche Wende zu geben. Waren die, die in der Résistance kämpften, nur Mittel, Medien der Verwirklichung eines absoluten Zwecks? Ließen sie sich durch die Einflüsterungen einer listigen Vernunft zum Handeln bewegen?

Sartres Versuch, die Wirklichkeit des geschichtlichen Menschen zu bestimmen jenseits des Absolutismus der Freiheit von *Das Sein und das Nichts* gibt sich zuerst Gestalt als Kritik des Marxismus, Kritik seiner Nivellierung der Bedeutung des Einzelnen, seines Handelns. Diese Kritik ist grundsätzlich. Sie will nicht ein bestimmtes Ungenügen der Marx'schen Philosophie beschreiben, sondern deren elementare Vergessenheit, was es heißt, ein Mensch zu sein. 1957 schreibt er für eine polnische Zeitschrift den Text *Marxismus und Existentialismus*, den er, unter dem Titel *Fragen der Methode*, ausarbeitet zu einer Studie über die Bedingungen der Formulierung einer Historischen Anthropologie jenseits der Geschichtsphilosophie. Sartres selbstgewisse Behauptung des Menschen als Freiheit hat sich zu der Frage gewandelt: Was heißt es, einen Menschen zu verstehen, in seiner Geschichtlichkeit und zugleich in seiner Individualität?

Am Anfang steht ein allgemeines Bekenntnis zum Marxismus als der Philosophie der Gegenwart, als des entscheidenden Paradigmas, dem sich jedes Denken anzuschließen hat, das es als seinen Horizont anzuerkennen hat, will es sich nicht zur Bedeutungslosigkeit verurteilen. Allerdings hat, so Sartre, diese Philosophie in ihrer gegenwärtigen Gestalt ihre Überzeugungskraft eingebüßt. Ihr ursprünglich dialektischer Anspruch, *das Ganze vermittels der Teile zu suchen*, degenerierte zu einer *Scholastik der Totalität*, wurde zur *terroristischen Praxis, die Besonderheit zu liquidieren*. Er merkt an: *Diesem intellektuellen Terror entsprach zeitweise die ‹physische Liquidierung› der besonderen Individuen*.[154] Sartres ganze Argumentation wird sich gegen diesen degenerierten Marxismus als eine Gestalt des Totalitarismus richten – seine Feier des Originals bleibt demgegenüber abstrakt. Zuletzt reduziert sich die Bedeutung des ‹eigentlichen Marx› für ihn in ihrem Kern zu der, die *Situiertheit des Menschen*, die Sartre in *Das Sein und das Nichts* nur abstrakt beschrieben hatte, konkret als die in der Geschichte dargestellt zu haben. Die frühen Texte Marx', allen voran die «Ökonomisch-philosophischen Manuskripte», dienen ihm darüber hinaus, seine Bestimmung des Menschen als M a n g e l, wie sie die *Kritik der dialektischen Vernunft* darstellt, zu begründen. Marx ist es, der die reale Bedürftigkeit des Menschen beschrieben hat, den Kampf, den er um seine Existenz zu führen hat, entgegen der idealistischen Illusion einer Versöhnung des Menschen mit der widerständigen Materialität der Dinge, denen er sein Bild aufprägt. Marx hat entgegen diesem Idealismus die Entfremdung des Menschen dargestellt, für den, unter den andauernden Bedingungen von Herrschaft und Unterdrückung, seine Arbeit nicht schöpferische Selbstverwirklichung ist, sondern nur eine Fron

Karl Marx, vor 1875

93

bedeutet, ohne ein Resultat, in dem er sich anzuschauen vermag.

Dieser ‹frühe Marx›, der vom Menschen spricht, ist der, mit dem Sartre sich verbrüdert – gegen die *Scholastiker der Totalität*. Ob diese tatsächlich nur eine Degeneration des Marx'-schen Denkens repräsentieren oder ob sie nicht eine Konsequenz verabsolutieren, die diesem Denken selbst eigen ist – dies diskutiert er nicht.

Gegen den scholastischen Marxismus gibt Sartre seiner Philosophie des Menschen ihr Profil. Sein entscheidendes Argument ist, dass dieser Marxismus i d e a l i s t i s c h ist, ja den Idealismus steigert darin, die *Trennung von Theorie und Praxis* zu verabsolutieren, statt sie zu überwinden. Die Konsequenzen sind absurd: *Man unterwarf a priori Menschen und Dinge den Ideen; widersprach die Erfahrung den Voraussagen, mußte sie im Unrecht sein.*[155] Das Phänomen ist das einer *idealistischen Gewalt gegenüber den Tatsachen: Jahre hindurch glaubte der marxistische Intellektuelle seiner Partei damit zu dienen, daß er der Erfahrung Gewalt antat.*[156]

Dieser marxistische Intellektuelle war er selbst. Sicher in wenig perfekter Gestalt, denn die Vergewaltigung seiner Erfahrung ist ihm nie wirklich gelungen. Trotzdem artikuliert sich hier auch eine Selbstanklage: Er war es, der *Menschen und Dinge* einer Idee unterworfen hatte. Jetzt bekennt er sich als Erbe Kierkegaards: Der Marxismus *umfaßt alle menschliche Aktivität, aber er ist kein W i s s e n mehr: Seine Begriffe sind Diktate; sein Ziel ist nicht mehr, Erkenntnis zu erlangen, sondern sich a priori als absolutes Wissen zu konstituieren. Angesichts dieser doppelten Unwissenheit hat der Existentialismus wiedererstehen und sich behaupten können, weil er die Wirklichkeit des Menschen wieder zur Geltung brachte, wie Kierkegaard gegen Hegel seine eigene Wirklichkeit zur Geltung brachte.*[157] Der Marxismus *hat den Menschen in der Idee aufgehen lassen, der Existentialismus hingegen sucht ihn überall, wo er geht und steht, bei seiner Arbeit, zu Hause und auf der Straße.*[158] Diesen wirklichen Menschen gilt es zu verstehen – wider den *Idealismus der Rechten oder der Linken*[159].

Sartre entdeckt sich wieder als Phänomenologen. Sein

Dogmatismus scheint von ihm abzufallen wie ein Kleid, das er nur für eine Zeit lang getragen hat. Aber er hat sich eine Aufgabe gestellt, hinter deren Anspruch er nicht zurückgehen kann: Er will nicht nur die Wirklichkeit des Menschen beschreiben, *wo er geht und steht*, sondern ihn in seiner Geschichtlichkeit. Wenn er dem Marxismus vorwirft, *alle konkreten Bestimmungen des menschlichen Lebens dem Zufall zuzuschreiben und von der historischen Totalisierung nichts als das Gerippe abstrakter Allgemeinheit übrigzubehalten*[160], dann beschreibt er in diesem Vorwurf seinen Anspruch, diese historische Totalisierung entgegen solcher Abstraktheit darzustellen. Und das heißt darzustellen, wie ein bestimmter einzelner Mensch nicht nur die geschichtliche Situation spiegelt, der er angehört, sondern wie er sie zu seiner macht, wie sie in der Gestalt seines Lebens ihre einmalige Prägung und Bedeutsamkeit erfährt.

Es geht darum, *innerhalb des Marxismus den Menschen zurückzuerobern*, die *Leerstelle einer konkreten Anthropologie* zu füllen, die sich *im Herzen dieser Philosophie* offenbart.[161] Dies kann nicht ohne strukturelle Analysen geschehen, ohne die Bestimmung der Prinzipien des historischen Prozesses. Denn *ohne diese Prinzipien – keine historische Rationalität. Aber ohne lebende Menschen keine Geschichte*[162]. Sartre bestimmt seine Methode als progressiv – regressiv: *Sie hat nur ein Mittel, das ‹Hin-und-Her›: Sie bestimmt die Biographie progressiv durch das vertiefende Studium der Epoche und die Epoche durch das vertiefende Studium der Biographie.*[163] Wer ein bestimmter Mensch ist, ist aus der geschichtlichen Zeit verstehbar zu machen, der er angehört. Diese geschichtliche Zeit aber offenbart umgekehrt die ganze Konkretion ihrer Bestimmtheit erst in der Gestalt des Lebens dieses Menschen.

Der Marxismus beschreibt die Bedingtheit menschlicher Existenz – Sartre will beschreiben, wie der Mensch diese Bedingtheit zugleich ist und sie überschreitet, auf seinen Entwurf, sein Bild seines Lebens hin. «Das Sein bestimmt das Bewusstsein», gewiss, aber das Bewusstsein ist zugleich diese Freiheit, seiner Bestimmtheit zu entrinnen, sich zu einem Anderen zu machen. Dieser Entwurf bleibt jedoch gebunden an das, was er überschreitet: Meine Freiheit ist nicht ortlose Willkür, sondern die bestimmte Verneinung dessen, zu dem man mich gemacht hat.

Wenn man die ursprüngliche dialektische Bewegung nicht im Individuum und dessen Unternehmen, sein Leben zu produzieren und sich zu objektivieren, sehen will, muß man auf die Dialektik verzichten oder aus ihr das immanente Gesetz der Geschichte machen.[164] Sartres Aussage ist eindeutig: Entweder man begreift Dialektik, die Bewegung der Widersprüche, als die von Individuum und Geschichte, oder ihr Begriff steht nur noch für eine tote Ideologie der Geschichte, ihre idealistische Behauptung als ein souveränes Subjekt.

Sartres Denken wird sich in den folgenden Jahrzehnten, bis zum Ende seines Lebens, darauf konzentrieren, dieser programmatischen Skizze einer strukturellen Historischen Anthropologie Gestalt zu geben. Dahinter tritt der Literat Sartre zurück. Die *Kritik der dialektischen Vernunft* und das Flaubert-Buch, *Der Idiot der Familie*, sind die Werke, in denen Sartre die Erfahrung seines Denkens darzustellen sucht.

Diese ununterbrochene Arbeit an der Gestalt seines Werks aber hindert Sartre nicht, weiter zu handeln. Sein Ort, sein Standpunkt ist ein anderer geworden. Er hat die Identifikation mit der Geschichte hinter sich gelassen. Der Dogmatismus seiner Haltung ist erschüttert: Der Kommunismus hat sich in seiner profanen Realität, seinem Zynismus der Macht in einer Weise offenbart, die das einfache Gegenüber eines imperialistischen Amerika und einer friedliebenden Sowjetunion als ideologische Farce entlarvt, auch für Sartre. Sein Engagement, seine Parteilichkeit erfährt dadurch eine radikale Veränderung, gewinnt eine Unmittelbarkeit und Radikalität zurück, die ihn seinem ursprünglichen Anarchismus wieder annähert. Sich zu empören heißt, sich gegen das Phänomen der Gewalt zu empören – egal, in wessen Namen diese Gewalt geschieht.

Offenbar wird dies an Sartres Haltung im Algerienkrieg, in der Kompromisslosigkeit seines Handelns. Dies ist kein Krieg der Ideologien, hier stehen sich keine ‹Systeme› gegenüber, sondern hier behauptet die Kolonialmacht Frankreich sich in

An seinem Arbeitstisch

einem Bürgerkrieg, der Gewalt und Terror gebiert, in dem Folter und Liquidierungen zur alltäglichen Realität werden. Sartre identifiziert sich entschieden mit den Aufständischen, nimmt offen Partei für die FLN, die algerische nationale Befreiungsfront. In einer seltsamen Ironie des Schicksals, der Verkehrung der Rollen ist darin wieder Camus sein Kontrahent. Sartre spricht für die Revolte – Camus verteidigt verzweifelt den «Bürgerfrieden», die Versöhnung zwischen den Algeriern und den in ihrem Land angesiedelten Franzosen. Camus ist einer dieser Siedler, er ist in Algerien geboren, seine Mutter, sein Bruder mit seiner Familie leben dort. Er hat Angst um sie. Im Dezember 1957, er hat den Nobelpreis erhalten, spricht er in Stockholm mit Studenten. Ein aufgeregter junger Algerier fordert ihn auf, Stellung zu beziehen. Camus, der seit dem Ausbruch der Unruhen unermüdlich agiert hat, zuerst öffentlich, dann, resigniert angesichts der Unversöhnlichkeit der Fronten, im Stillen, sich einsetzend für Verfolgte und Verurteilte, antwortet: «Seit einem Jahr und acht Monaten schweige ich, was nicht bedeutet, daß ich zu handeln aufgehört hätte. Ich war und bin für ein gerechtes Algerien, in dem beide Bevölkerungsgruppen in Frieden und Gleichheit zusammenleben. Ich habe wiederholt gesagt, daß man dem algerischen Volk Gerechtigkeit widerfahren lassen und ihm ein uneingeschränkt demokratisches Regime zugestehen muß; aber dann steigerte sich der Haß auf beiden Seiten so sehr, daß ein Intellektueller nicht mehr intervenieren durfte, weil seine Erklärungen den Terror noch hätten schüren können. Mir schien es sinnvoller, den geeigneten Moment zum Einigen, nicht zum weiteren Trennen, abzuwarten. Ich darf Ihnen indessen versichern, daß einige Ihrer Kameraden ihr Leben Maßnahmen verdanken, von denen Sie nichts wissen. Diese Begründung gebe ich nur mit einem gewissen Widerwillen öffentlich ab. Ich habe den Terror immer verurteilt. Ich muß auch einen Terrorismus verurteilen, der, beispielsweise in den Straßen Algiers, blind wütet und eines Tages auch meine Mutter oder meine Familie treffen kann. Ich glaube an die Gerechtigkeit, aber bevor ich die Gerechtigkeit verteidige, werde ich meine Mutter verteidigen.» [165]

Dieses Credo, dieses Bekenntnis provoziert Unverständnis, Abwehr und Polemik. Simone de Beauvoir schreibt in ihren Memoiren: «Am meisten empörte mich das Verhalten von Camus [...] Vor einem vielköpfigen Publikum erklärte er: ‹Ich liebe die Gerechtigkeit, aber ich würde meine Mutter gegen die Gerechtigkeit verteidigen.› Das hieß, sich auf die Seite der ‹pieds noirs› stellen [der französischen Siedler]. Die Hinterlist bestand darin, daß er gleichzeitig so tat, als wolle er dem Konflikt fernbleiben und über den Gegensätzen schweben. Auf diese Weise wurde er zum Helfer aller jener Leute, die diesen Krieg und seine Methoden mit dem bürgerlichen Humanismus zu vereinbaren suchten.»[166] Camus' Versuch einer Versöhnung hatte keine Chance in einer Situation, die objektiv die eines Kampfes zwischen Herrschern und Beherrschten ist. Sein immer wieder beschwörend vorgebrachter Hinweis darauf, dass die Mehrzahl der französischen Siedler keine Imperialisten sind, sondern kleine Leute, die sich einen Platz zum Leben gesucht haben, scheint nur naiv angesichts der Tatsachen, der kolonialistischen Ausbeutung eines Landes, der staatlich legitimierten Ausübung von Folter und Gewalt.

Familiäre Gefühle und moralische Appelle sind unangebracht, wenn es um das Faktum der Gewalt geht. Zugleich und dieser Kälte des Urteils entgegen hat Simone de Beauvoir eindringlich die Demütigung und Verzweiflung beschrieben, die es für sie, für Sartre, für ihre Freunde bedeutet hat, dass Terror und Gewalt «im Namen Frankreichs» geschehen. Jetzt ist es nicht mehr, wie zurzeit der Besetzung durch die Deutschen, eine fremde Macht, deren Gewalt man erfährt, sondern man selbst ist, als Franzose, Teil dieser Macht. Widerstand wird zum Widerstand gegen das eigene Land.

Der Algerienkrieg ist «Sartres Krieg» (Raymond Aron). Über allem steht sein Credo: Es gibt keine guten Kolonialherren und keine bösen. Es gibt Kolonialherren, das ist alles.[167]Der Kolonialismus bedarf keiner differenzierenden Debatten, er repräsentiert die Herrschaft der Einen über die Freiheit, das Recht und den Besitz der Anderen. Und es geht einzig darum, sich entschieden auf die Seite der Beherrschten zu stellen. Sartre schreibt das Vorwort zu Frantz Fanons «Die Verdammten dieser Erde»: eine kompromisslose Identifikation mit dieser leidenschaftlichen Anklageschrift der ‹Dritten Welt› an Europa, ein entschlossenes Bekenntnis zu dem algerischen Revolutionär, der zu Recht in Sartre seinen Verbündeten sieht. «An ihn denke ich», schreibt er an seinen französischen Verleger, «wenn ich mich an den Arbeitstisch setze». 1960 wird Sartres Unterzeichnung einer Erklärung zum Recht auf Ungehorsam im Algerienkrieg zum Politikum. Er wartet auf eine Anklage. Aber er ist längst zu einer unantastbaren intellektuellen Instanz geworden. Schon jetzt, nicht erst im Mai '68, gilt das Diktum de Gaulles: «Voltaire verhaftet man nicht.» Dafür droht man, ihn umzubringen. Terrorgruppen der extremen Rechten verüben

Die Situation in Algerien war eine besondere gegenüber den anderen afrikanischen Kolonien Frankreichs: Hier lebten, bei acht Millionen autochthonen Einwohnern, achthunderttausend französische Siedler. Während Frankreich anderswo die Unabhängigkeit zu gewähren begann, stieß eine solche Politik in Algerien auf den entschlossenen Widerstand der hier lebenden Franzosen und der mit ihnen verbündeten politischen und militärischen Kräfte.
1954 geht die FLN, die «Front de libération nationale», mit einer Serie von Attentaten zum bewaffneten Kampf über. Frankreich antwortet dem Terror mit Gegenterror und brutaler staatlicher Gewalt. 1955 stehen 100 000 französische Soldaten im Land, 1956 sind es 400 000. Die Algerienfranzosen setzen die Regierung in Paris unter Druck. Diese toleriert die alltägliche Anwendung der Folter durch die Militärs.
Dieser Krieg und seine Erschütterungen bringen 1958 de Gaulle zurück an die Macht. In pragmatischer Einsicht beginnt er offizielle Gespräche mit der FLN im Blick auf die Unabhängigkeit. Die Reaktion darauf ist die Bildung der OAS, der «Organisation de l'Armée Secrète» auf der Seite der Algerienfranzosen. Sie verübt mehrere Anschläge auf de Gaulle und prominente Befürworter der algerischen Unabhängigkeit. Eines ihrer Opfer ist Sartre.
Im März 1962 wird den Algeriern die Bildung eines unabhängigen und souveränen Staates zugestanden.

1961 und im Jahr darauf Sprengstoffanschläge auf Sartres Wohnung, die ihn, wäre er zu Hause gewesen, getötet hätten.

Durch seine entschiedene Haltung im Algerienkrieg, die sich deutlich abhebt von dem zögerlichen Verhalten der französischen Linken, von den strategischen Winkelzügen der

Sartre in Kuba mit Fidel Castro im Jahr 1960

KPF, wird Sartre zu einem Anwalt der Dritten Welt. Als dieser, quasi als Botschafter der Revolte, reist er durch diese Welt: nach Kuba, nach Brasilien, nach Ägypten. Berühmt, als Philosoph, als Schriftsteller, war er schon vorher. Nun aber ist er zu einer Ikone geworden, wird sein Name zum Symbol für das moralische Recht, seine Unterdrücker zu bekämpfen, seine Freiheit zu behaupten.

Mitten in all dem erscheint 1960 der erste Band der *Kritik der dialektischen Vernunft*: die *Theorie der gesellschaftlichen Praxis*.

Die durch die Plastikbombe der OAS zerstörte
Wohnung Sartres, 7. Januar 1962

Ein voluminöser Text, weit über achthundert Seiten lang, offenbar geschrieben unter äußerstem Druck, in manchen Passagen fast manisch erscheinend: als wolle Sartre um jeden Preis die Sache, um die es ihm geht, darstellen und habe Angst, dass ihm dies nicht, nicht mehr gelingen werde. Welche Sache ist das, welche Frage steht hinter diesem Text? *Letztlich*, so Sartre, *ist es nur e i n e Frage, die ich stelle, eine einzige: Haben wir heute die Mittel, eine strukturelle und historische Anthropologie zu konzipieren?* Eine Wissenschaft vom Menschen also, die diesen sowohl in den strukturellen Bedingtheiten seiner Existenz wie in den bestimmten seiner geschichtlichen Situation zu beschreiben vermag. Es geht darum, *endlich an das Grundproblem heranzugehen: Gibt es eine Wahrheit vom Menschen?*[168] Oder bedeutet das Dasein der Menschen, ihre Geschichte, nur eine absolute Kontingenz, angesichts derer jede Frage nach ‹Wahrheit› sinnlos ist?

In *Das Sein und das Nichts* hatte Sartre den Menschen, das Individuum als eine ursprüngliche Freiheit beschrieben, die ihre Grenze einzig an der Freiheit der Anderen erfährt. Jetzt, hindurchgegangen durch die Erfahrung der Geschichte, die Erfahrung der Marx'schen Philosophie, will er die Wirklichkeit des Menschen beschreiben, der g e m a c h t   w i r d durch die geschichtliche Zeit, der er angehört, durch den sozialen Ort, der seiner ist – und der zugleich s i c h   m a c h t aus dieser Bedingtheit heraus, sie ‹überschreitet› und seiner Existenz ihre Gestalt gibt. Der Mensch ist seine Zeit, ist identisch mit der Rolle, die ihm im hierarchischen Raum der Gesellschaft zugewiesen ist – und ist darin der Widerspruch zu ihr, ein mögliches Nein. Die Individuen in *Das Sein und das Nichts* ‹spielen› nur, Kellner oder Lehrer, Beamter oder Künstler zu sein. Die Wahrheit ihrer Existenz ist die Freiheit, die sie sind, sich in jedem Augenblick für ein anderes Spiel entscheiden zu können. Jetzt anerkennt Sartre, dass der Mensch nicht wählt, was er ist. Aber er kann dem, zu dem man ihn gemacht hat, widersprechen, kann versuchen, ein anderer zu werden.

Widerspruch ist für die *Kritik der dialektischen Vernunft* der Name für ein Handeln des Menschen – statt, wie für die Dialektik Hegels, eine Kategorie, die eine Struktur beschreibt, wie sie aller geschichtlichen Entwicklung voraus- und zugrunde liegt. Der Antimetaphysiker Sartre verteidigt den Menschen gegen eine Dialektik, für die Widersprüche «Momente» innerhalb eines Prozesses sind, um dessen absoluten Sinn sie zu wissen behauptet. Diese Dialektik ist *der Versuch, die Welt sich von selbst und für niemanden enthüllen zu lassen*[169]. Ihr Standpunkt ist jenseits der Welt, sie betrachtet sie von außen, aus der Perspektive eines Niemand, eines göttlichen, allwissenden Subjekts.

Aber *wenn wir nicht wollen, daß die Dialektik wieder zu einem gött-lichen Gesetz, zu einem metaphysischen Faktum werde, muß sie von den Individuen und nicht von irgendwelchen überindividuellen Kom-plexen herrühren.*[170]

Eine konkrete Dialektik geht vom einzelnen Menschen aus. Indem sie ihn, sein Leben beschreibt, offenbart sie die Strukturen, die dieses Leben bestimmen – und die es zugleich überschreitet. Was Sartre darstellen will, ist *das Facetten-Spiel der Einheit von Freiheit und Notwendigkeit*: die *grundlegende Iden-tität eines einzelnen Lebens mit der menschlichen Geschichte*[171], eine Identität aber, die zugleich Gebrochenheit ist, Widerspruch, Zerrissenheit. Sie bedeutet einen Prozess, der kein gewusstes Ziel hat, den keine «List der Vernunft» steuert, dessen Ausgang ungewiss ist.

Sartre bindet die Wirklichkeit der Dialektik an das Han-deln der endlichen Menschen. Darum widerspricht er dem metaphysischen Begriff der Geschichte, auch in seiner mar-xistischen Gestalt. Darum bedeutet für ihn zugleich die Be-hauptung einer Dialektik der Natur nur einen Dogmatismus. Wahrheit, Erkenntnis gibt es nur, wenn es Menschen gibt. *Die Dialektik der Natur ist die Natur ohne den Menschen. Man braucht daher keine Sicherheiten, keine Kriterien mehr, und es wird sogar müßig, die Erkenntnis kritisieren und begründen zu wollen. Denn die Erkenntnis, in welcher Form auch immer, ist eine bestimmte Bezie-hung des Menschen zu der Welt, die ihn umgibt. Wenn der Mensch nicht mehr existiert, verschwindet diese Beziehung.*[172]

Hier wird offenbar, warum Sartre im Titel seines Buches Kant zitiert, die «Kritik der reinen Vernunft». Wie Kant kriti-siert Sartre eine Vernunft, die sich verabsolutiert gegenüber der Perspektive des Menschen. Wie Kant fordert er die Ver-nunft auf, sich einer radikalen Selbstkritik zu unterziehen und ihre eigenen Grenzen zu reflektieren. Was die Natur a n s i c h ist, entzieht sich unserer Erkenntnis. Erkenntnis beschreibt und bestimmt die Dinge, w i e s i e u n s e r s c h e i n e n. Die Be-hauptung, dass die Natur den Gesetzen der Dialektik folgt, lässt Dialektik zu einem metaphysischen Prinzip erstarren, zu einem Dogma werden.

Anders als Kant jedoch behauptet Sartre keine zeitlosen Kategorien des Erkennens, sondern Erkenntnis ist für ihn selbst geschichtlich bestimmt. Darin liegt, dass für ihn ‹Vernunft› nicht nur überhaupt an den Menschen gebunden ist, sondern an ihn als ein endliches, zeitliches Wesen. Es existiert keine Vernunft, die in allen Menschen zu allen Zeiten dieselbe wäre. Vernunft ist wirklich nur in den verschiedenen Gestalten ihrer geschichtlichen Existenz. Und als dialektische Vernunft ist sie in ihrem Innersten durch Widerspruch bestimmt – entgegen dem Diktum Kants, dass das Auftreten eines Widerspruchs nur ein Anzeichen dafür sei, dass die Vernunft ihre Grenzen überschritten hat, Fragen stellt, die ihre Reichweite übersteigen. Mit Hegel behauptet Sartre den Widerspruch als bestimmend für die Wirklichkeit der Welt des Menschen. Was Sartre aber von Hegel und von Marx trennt, ist seine Überzeugung, dass dieser Widerspruch keine Versöhnung zu erfahren vermag. Ein ‹Ende der Geschichte›, von dem her ihre Kämpfe einen absoluten Sinn offenbaren, gibt es für ihn nicht. Die Perspektive von diesem Ende her ist eben die eines Niemands, von nirgendwo her.

Geschichte ist die der endlichen Menschen. Als diese ist sie durch eine elementare Wirklichkeit bestimmt: den Mangel. Mangel in unmittelbar materiellem Sinn, als der Mangel an Nahrung, Gütern des Lebens. Dieser Mangel ist es, der die potenzielle Feindschaft der Individuen begründet. *Jeder ist zu viel* – dies Credo von *Der Ekel* meint jetzt nicht mehr die melancholische Einsicht in die Kontingenz der Existenz des Menschen, sondern die reale Konkurrenz, die Menschen füreinander bedeuten. Durch den Mangel wird *die bloße Existenz eines jeden als ständige Gefahr der Nicht-Existenz für einen anderen und für alle bestimmt. Ich selbst entdecke diese ständige Gefahr der Vernichtung meiner selbst und aller anderen nicht nur bei den Anderen, sondern ich bin selbst diese Gefahr als Anderer, das heißt, insofern ich [...] mit den Anderen als möglicher Überzähliger bezeichnet bin.*[173]

Aus der Perspektive eines Europäers mag diese Beschreibung des Mangels als das, was die Beziehungen der Menschen begründet, übertrieben und abstrakt erscheinen. Sartres Blick aber richtet sich nicht auf die besondere, privilegierte Lebenssituation des Europäers, sondern auf die allgemeine des Menschen in der gegenwärtigen Welt. Mangel, Hunger ist kein Anachronismus, wenn für uns auch das Wort seinen unmittelbar materiellen Sinn verloren hat. Mangel ist dann Mangel an Liebe, an Zuwendung und Anerkennung. Für die Mehrheit der Menschen bedeutet er tatsächlich Mangel an dem, was zum Leben, zum Überleben notwendig ist. Die *Kritik der dialektischen Vernunft* ist, unangesehen ihres Reichtums an konkreten Beschreibungen bestimmter geschichtlicher Ereignisse, eine strukturelle Darstellung der Situation des Menschen in der Welt, die diese in ihren elementarsten Bedingungen zu begreifen versucht.

In *Das Sein und das Nichts* war es der B l i c k des Anderen, der mich zum Objekt macht, konkurrierte meine Freiheit mit der des Anderen. Jetzt ist es die Materialität meines Seins in einer Welt des Mangels, die mich den Feind der Anderen sein lässt. Gemeinschaft, die mehr bedeutet als das gemeinsame Schicksal, überzählig zu sein, entsteht einzig durch eine Bedrohung von außen. Gleichgültig miteinander verbundene Menschen werden zu einer G r u p p e angesichts einer ihnen gemeinsam drohenden Gefahr. Schwindet diese Gefahr, muss die Gruppe *mangels eines materiellen Drucks sich selbst als Druck auf ihre Mitglieder hervorbringen*[174]. Der Eid, den der Einzelne auf die Gemeinschaft schwört, dient einzig, diese zu sichern, weil ihr Zerfall ihn und alle Anderen wieder der diffusen Gefahr des Fremden absolut auslieferte. *Brüderlichkeit ist nicht, wie man es manchmal unsinnigerweise darstellt, auf die physische Ähnlichkeit gegründet, insofern sie die eigentliche Identität der Naturen ausdrückt. Warum soll denn eine Erbse in einer Konservenbüchse der Bruder einer anderen Erbse derselben Büchse sein? Wir sind Brüder, insofern nach dem schöpferischen Akt des Eides wir unsere eigenen Söhne sind, unsere gemeinsame Erfindung.*[175] *Brüderlichkeit* ist das Resultat der pragmatischen Entscheidung, sich zu schützen, indem man sich der Stärke einer Gruppe anvertraut und unterordnet. Nüchtern stellt Sartre sich hier als ein Erbe Rousseaus in die moderne Tradition des «Gesellschaftsvertrag»: Wenn der Mensch des Menschen Feind ist, muss er Mittel finden, sein Überleben durch die institutionelle Sicherung von Gemeinschaft zu schützen. Auch jetzt noch ist Sartre von allem Pathos der Gemeinschaft weit entfernt.

Als die *Kritik der dialektischen Vernunft* erscheint, ist es merkwürdig still um dieses Buch eines «Berühmten». Natürlich wird es wahrgenommen, aber in einer Verhaltenheit, die anzeigt, dass Sartre, der seit dem Ende des Krieges fraglos die Avantgarde der philosophischen Diskussion repräsentierte, diese Position zu verlieren beginnt. Und dann kommt es zum offenen Affront. Den Anfang macht der Ethnologe und Philosoph Claude Lévi-Strauss. Sein Angriffspunkt ist ein doppelter: In seinem Festhalten am Begriff des Menschen als Ausgang und Zentrum aller Bedeutung des Wirklichen folge Sartre der verhängnisvollen Tradition der Metaphysik des Subjekts, verenge er wie diese die Dimension der Wahrheit auf den Raum des Menschen. Und dieser Verengung entsprechend mystifiziere er Geschichte zum einzigen Ort der Wahrheit.

Claude Lévi-Strauss

Die Kritik trägt den Namen Strukturalismus. Der behaupteten Metaphysik des Subjekts und der Mystifizierung der Geschichte hält Lévi-Strauss die objektive Wirklichkeit von Strukturen entgegen, deren ‹Vernunft› souverän ist gegenüber den Menschen und die der Wissenschaftler zu beschreiben, darzustellen hat. Kulturellen Systemen, Sprachen, ja der Natur selbst, ist eine Ordnung immanent, die wir zu entziffern versuchen müssen, statt uns für den Autor von Wahrheit zu halten. Lévi-Strauss, der sich selbst als Dialektiker bezeichnet, resümiert seine Differenz zu Sartre: «Wenn Sie wollen, besteht der Unterschied zwischen Sartre und mir darin, daß Sartre das Dialektische in das Menschliche einschließt; er spricht dem Dialektischen in der natürlichen Ordnung jedes Sein ab. Ich dagegen glaube, daß es beim Menschen nur deshalb existiert, weil es schon außerhalb von ihm vorhanden ist.»[176]

Für Sartre bedeutet, wie schon beschrieben, die Behauptung einer Dialektik der Natur nur einen Dogmatismus. Was er jedoch anerkennt, ist die Wirklichkeit von Strukturen. Er will ja gerade zeigen, wie das, was Menschen selbst geschaffen haben, sich ihnen gegenüber verselbständigt, zu einer Struktur erstarrt, an der das Handeln seine Grenze findet, die es aber, als freies Handeln, überschreitet. Nur unwillig, wie auf eine lästige Unterstellung, lässt er sich auf die Kritik ein. *«Ich fechte weder die Existenz der Strukturen an noch die Notwendigkeit, ihren Mechanismus zu analysieren. Aber die Struktur ist für mich nur ein Moment des Praktisch-Trägen. Sie ist das Ergebnis einer Praxis, die deren Akteure übersteigt. Jede menschliche Schöpfung hat ihre passiven Bereiche: Das bedeutet nicht, daß sie völlig determiniert ist.»*[177]

Sartre anerkennt die Existenz von Strukturen und ihre Bedeutung als Raum unseres Handelns. Aber er widerspricht seinem Kritiker im entscheidenden Punkt: Für ihn sind Strukturen keine souveränen Wesenheiten, sondern eine ursprünglich vom Menschen geschaffene Wirklichkeit, die sich ihm entfremdet hat. Menschen leben in einer Kultur, deren Gestalt, deren innere Ordnung sie selbst hervorgebracht haben. Zugleich wird diese Ordnung zur Grenze ihrer Freiheit, die sie überschreiten, indem sie sie, in einem dauernden Prozess der Auseinandersetzung, verändern.

Diese Dialektik eines Ineinander von Ordnung und Freiheit ist nun verdächtig, nur das neue Gewand einer überlebten Gestalt des Denkens zu bedeuten. Sartres ‹Humanismus› wird zum Namen für sein, so heißt es nun, sich auf den Menschen als Subjekt, als Autor der Bedeutungen des Wirklichen bornierendes Denken. Der «eigentliche» Marxismus ist nicht humanistisch. «Das Kapital lesen» ist der offensive Titel eines Buches des strukturalistischen Marxisten Louis Althusser: Hier, in diesem Hauptwerk von Marx, nicht in seinen Frühschriften, auf die vor allem Sartre sich bezieht, ist, so Althusser, die Wahrheit des Marxismus enthalten. Es geht um die Strukturen, um die Gesetzlichkeit des Kapitalismus, angesichts derer das Handeln der Menschen bedeutungslos ist. Menschen folgen in ihrem Handeln nur dem, was diese Gesetzlichkeit gebietet.

Diese absolute Strenge des Strukturalisten lässt selbst Hegel beinahe als Existenzphilosophen erscheinen: Hatte er doch zugestanden, dass der Mensch eine Zweideutigkeit ist, eine Frage ist, die die Philosophie nicht zu beantworten vermag: als der «lebendige Widerspruch», endlich-unendlich ineins zu sein, zugleich der Welt des «Geistes», seiner Gesetzlichkeit und der endlichen Welt des Zufalls und der Willkür anzugehören.

Diesem Hegel überbietenden Strukturalismus stellt sich, in gemeinsamer Front gegen Sartre, ein anderer an die Seite, der seine Motive von Nietzsche gewinnt. Nietzsche wird nun gegen Sartre als Instanz eines anderen Denkens geltend gemacht. Eines Denkens, das den Größenwahn entlarvt, der sich im Begriff des Menschen als Subjekt, als Grund der Bedeutung von Welt verbirgt. Welt ist für Nietzsche nicht die Verwirklichung des Menschen, seiner Freiheit, seiner Vernunft. Welt ist der Schauplatz eines Kampfes der «Willen zur Macht». Der Mensch ist nur ein Beispiel dieses Kampfes, der das eigentliche Wesen aller Wirklichkeit bedeutet. Für den an Nietzsche orientierten Strukturalismus geht es nicht mehr nur um die allgemeine Behauptung der Souveränität der Strukturen gegenüber dem Menschen, es geht um Strukturen der Macht, die es in ihrer untergründigen Wirksamkeit zu entziffern gilt.

Michel Foucault wird zu seinem Repräsentanten. Für Foucault ist Sartres Denken Teil eines vergangenen Selbstbewusstseins des Menschen. «In dem Augenblick, in dem man sich darüber klar geworden ist, daß alle menschliche Erkenntnis, alle menschliche Existenz, alles menschliche Leben und vielleicht das ganze biologische Erbe des Menschen in Strukturen eingebettet ist, d. h. in eine formale Gesamtheit von Elemen-

Michel Foucault,
1965

ten, die beschreibbaren Relationen unterworfen sind, hört der Mensch sozusagen auf, das Subjekt seiner selbst zu sein, zugleich Subjekt und Objekt zu sein. Man entdeckt, daß das, was den Menschen möglich macht, ein Ensemble von Strukturen ist, die er zwar denken und beschreiben kann, deren Subjekt, deren souveränes Bewußtsein er jedoch nicht ist. Diese Reduktion des Menschen auf die ihn umgebenden Strukturen scheint mir charakteristisch für das gegenwärtige Denken und somit ist die Zweideutigkeit des Menschen als Subjekt und Objekt jetzt keine fruchtbare Hypothese, kein fruchtbares Forschungsthema mehr.»[178]

Ist Sartre dann ein Mann der Vergangenheit? – fragt ihn sein Gegenüber und verweist darauf, dass Sartres Anthropologie die Dimension der Strukturen ja in ihrem Zentrum habe, dass sie nicht von einem einsamen Cogito ausgehe, sondern den Menschen in seiner Bedingtheit und Materialität beschreibe. Foucaults Antwort ist entschieden: Ein Cogito bleibt ein Cogito, von ihm auszugehen verfälscht alles. Zugleich und in

einem Atemzug behauptet Foucault Sartre als einen Philosophen «im modernsten Sinn des Wortes, da sich für ihn die
Philosophie wesentlich auf eine Form der politischen Aktivität reduziert. Für Sartre ist Philosophie heute ein politischer
Akt. Ich glaube daher nicht, daß Sartre noch denkt, der philosophische Diskurs sei ein Diskurs über die Totalität.»[179]

Das ist eine mehr als zweifelhafte Anerkennung der Mo-
dernität Sartres, bedeutet sie doch, ihn als Philosophen zu be-
erdigen und als politischen Akteur zu rehabilitieren. Die
Philosophie ist dann durch Foucault repräsentiert, Sartre darf
politisch handeln. Die abwehrende Reaktion Sartres auf Foucault – für ihn ist er nur ein *verzweifelter Positivist* – ist, so darf
man vermuten, auch in diesem schmählichen Versuch begründet, ihn als Philosophen für tot zu erklären. Hat doch Foucault zudem seine Würdigung des politischen Akteurs Sartre
unmittelbar widerrufen. Für ihn hat der Philosoph aufgehört,
ein ‹repräsentatives Bewusstsein› zu sein: Diejenigen, die
kämpfen und handeln, wollen nicht mehr repräsentiert werden, sondern selber sprechen. Es ist entwürdigend, für die Anderen zu sprechen, sich zu ihrem Anwalt und so zu einer anmaßenden Instanz der Gerechtigkeit zu machen.[180]

Trotzdem ist Sartres Antwort auf Foucault zu grob und
verfehlt darin den Gegner. Wenn er in ihm ‹die letzte Bastion
der bürgerlichen Philosophie gegenüber dem Marxismus› angreift, schwächt er damit nur seine eigene Position, verbarrika-
diert sich selbst. Denn der Autor, auf den sich, neben Nietzsche, Foucault beruft, ist ihm vertraut, ist ein unterschwelliger
Kontrahent seit Jahrzehnten: Georges Bataille. Sartre selbst
hatte Bataille durch die Rezension von dessen Buch «Das innere Erlebnis» 1943 einem größeren Publikum bekannt gemacht. In Batailles nietzscheanisch inspiriertem Text sieht
er, in aller Bewunderung seines Stils, einen *schwarzen Pan-
theismus*: Überall ist Gott, aber ein Gott der Sinnlosigkeit, auf
den man nur mit einem Lachen zu antworten vermag.[181] Für
Sartre ist unannehmbar, dass Bataille von der Unwahrschein-
lichkeit des eigenen Selbst und dem unsinnigen Anspruch der
Erfahrung des Ich spricht, dass er das Selbst ineins von außen

und innen beschreibt: als eine zufällige Kombination äußerer Elemente und zugleich als das Wesen, ohne das für es nichts wäre. Der Mensch flieht, so Bataille, vor dieser Zerrissenheit in Entwürfe seines Lebens – statt diese Anstrengung seiner Selbstbehauptung endlich aufzugeben, zu vergessen im Augenblick eines Lachens, eines bacchantischen Rauschs, ekstatischer Selbstaufgabe. Doch erst in diesem Aufgeben seines Selbst erfährt er seine Wahrheit in einer ‹mystischen› Kommunikation, Verschmelzung mit allem.

Sartre wehrt sich gegen ein Denken, das in seinen Augen sich dem Nichts überantwortet, dieses Nichts bejaht. Dabei hat er selbst das Nichts im Innern des Seins des Menschen beschrieben, das es unmöglich macht, dass er mit sich identisch sein kann. Beide, Bataille wie Sartre, beschreiben eine Bewegung, die der Mensch ist: die Bewegung, seiner Zerrissenheit zu entkommen, eins mit sich zu werden. Beide beschreiben die Unmöglichkeit, als diese Einheit mit sich zu existieren. Und in seinem Buch über Flaubert wird Sartre den Augenblick, den Sturz in das Nichts als das Zentrum eines Lebens beschreiben.

Indem er diese Nähe zu Bataille und darin zu Nietzsche verbirgt, erleichtert es Sartre seinen Kritikern, sein Bild zu dem eines Metaphysikers des Subjekts, eines Apologeten der Identität zu verzeichnen. An den Menschen, dessen Tod Foucault erklärt, hat Sartre nie geglaubt.

Georges Bataille

Ruhm und einsame Jahre mit Flaubert

Im Oktober 1964 wird Sartre der Nobelpreis verliehen. Etwas noch nie Dagewesenes geschieht: Er lehnt den Preis ab.

Ein publizistischer Aufruhr ist die Folge, eine Flut von Spekulationen über seine Motive, Interpretationen seiner möglichen Gründe. Sartres eigene Begründung ist knapp, apodiktisch: *Meine Ablehnung ist keine Stegreifentscheidung, offizielle*

Sartres Brief an den Sekretär der Schwedischen Akademie, in dem er den ihm verliehenen Nobelpreis ablehnt

Ehrungen habe ich immer abgelehnt. Der Schriftsteller sollte sich *weigern, sich in eine Institution verwandeln zu lassen, selbst wenn es, wie hier, unter den ehrenvollsten Bedingungen geschieht.*[182] Und er fügt dieser ‹subjektiven› Begründung eine ‹objektive› hinzu: *Der Nobelpreis in der heutigen Situation* ist *eine Auszeichnung, die den Schriftstellern des Westens und den Rebellen des Ostens vorbehalten ist.*[183]

Der Sozialist Sartre verweigert sich einem Adelstitel, der ihm einen Platz verliehe in der Reihe der großen Repräsentanten des bürgerlichen Geistes. *Ich will nicht sagen, daß der Nobelpreis ein bürgerlicher Preis ist.*[184] Genau das will er natürlich sagen. Die ‹subjektive› und die ‹objektive› Begründung durchdringen sich: Er will sich nicht zu *einer objektiven Vereinnahmung*[185] hergeben. Er will nicht ‹Voltaire sein›, aufgenommen in den Pantheon des Geistes. Er will nicht erstarren im Ruhm seines Namens. Er will handeln können, statt nur noch als Repräsentant dieses Namens zu leben. *Meine jetzige Berühmtheit geht mir auf die Nerven,* schreibt er an anderer Stelle, *sie ist nicht der richtige Ruhm, denn ich lebe ja.*[186] Aber trotz dieser ironischen Gleichung *richtigen Ruhms* damit, ein Toter zu sein: Wie könnte er dem Ruhm seines Namen noch entgehen? Und hat er ihn durch diese Verweigerung nicht noch größer gemacht? Auch anderen wird der Nobelpreis verliehen, aber niemand außer Sartre hat ihn je zurückgewiesen.

Dieses spektakuläre Ereignis rückt Sartre, der in Frankreich ein Stück weit in den Schatten der Strukturalisten zu treten beginnt, mit einem Schlag wieder in den Mittelpunkt des öffentlichen Interesses. Aber ein paar Monate vorher schon hatte ein anderes Ereignis das intellektuelle Publikum überrascht und fasziniert: Im Frühjahr 1964 waren *Die Wörter* erschienen. Sartre, der seit Jahren eher als der Autor politischer Manifeste denn als Literat wahrgenommen worden war, zeigte sich hier in einer schriftstellerischen Brillanz, in einer Souveränität der selbstironischen Beschreibung der eigenen Person in ihren Obsessionen, die Erstaunen und maßlose Bewunderung hervorrief. Die Stimmen gingen so weit, dieses Buch als eines der bedeutendsten des Jahrhunderts zu erklären, ver-

Sartre korrigiert die Fahnen von «Les Mots».
Foto von Gisèle Freund, 1964

Sartre und Simone de Beauvoir, flanierend
in Saint-Germain-des-Prés

gleichbar in seinem Rang vielleicht einzig mit den «Bekennt-
nissen» Rousseaus.

Die Wörter sind nicht nur eine Autobiographie, in der
Sartre seine Kindheit beschreibt. Was er beschreibt, ist die Ge-
schichte eines Wahns, seines Wahns, durch Schreiben der
Kontingenz seines Daseins zu entrinnen. Und am Ende spricht

er von dem Mann, der sich nach langen Jahrzehnten von diesem Wahn befreit hat. Ihn verstanden hat als einen Glauben, als seine Religion. *Das Gebäude sinkt in Trümmer, ich habe den Heiligen Geist im Keller geschnappt und ausgetrieben; der Atheismus ist ein grausames und langes Unterfangen; ich glaube ihn bis zum Ende betrieben zu haben. Ich sehe klar, bin ernüchtert, kenne meine wirklichen Aufgaben, verdiene sicherlich einen Preis für Bürgertugend; seit ungefähr zehn Jahren bin ich ein Mann, der geheilt aus einem langen, bitteren und süßen Wahn erwacht und der sich nicht darüber beruhigen kann und der auch nicht ohne Heiterkeit an seine einstigen Irrtümer zu denken vermag und der nichts mehr mit seinem Leben anzufangen weiß.*[187]

[...] der nichts mehr mit seinem Leben anzufangen weiß: Dies Bekenntnis eines großen Schriftstellers und Philosophen erschütterte, rief das Bild eines verzweifelten Menschen hervor, dem sein ganzes Lebenswerk als sinnlos erscheint. Aber Sartre ist nicht

Sartre allein – in der Bar Pont-Royal

verzweifelt. Er ist *ernüchtert* und *nicht ohne Heiterkeit. Ich habe das geistliche Gewand abgelegt, aber ich bin nicht abtrünnig geworden: Ich schreibe nach wie vor. Was sollte ich sonst tun?*[188]

Diesem Leben ist sein *Auftrag* verloren gegangen, den ihm der *Heilige Geist* erteilt hatte. Es hat sich zu retten versucht in den Raum der Wörter und verstanden, dass es keine Rettung gibt. Darüber zu verzweifeln bedeutete, immer noch gerettet werden zu wollen, das Heilige dafür anzuklagen, dass es nicht existiert. *Lange hielt ich meine Feder für ein Schwert: Nunmehr kenne ich unsere Ohnmacht. Trotzdem schreibe ich Bücher und werde ich Bücher schreiben; das ist nötig; das ist trotz allem nützlich. Die Kultur vermag nichts und niemanden zu erretten, sie rechtfertigt auch nicht. Aber sie ist ein Erzeugnis des Menschen, worin er sich projiziert und wiedererkennt; allein dieser kritische Spiegel gibt ihm sein eigenes Bild.*[189] Wenn die absolute Bedeutung der Wörter nur eine Illusion ist, verlieren sie doch darum nicht ihren Sinn, ihren Nutzen für den Menschen. In den Werken der Literatur reflektiert sich seine Wirklichkeit, wer er ist.

Sartre schreibt. Er schreibt, 1964, seit nunmehr zehn Jahren an seinem Buch über Gustave Flaubert, seit vier Jahren in täglicher, gewohnt obsessiver Konzentration.

Was geschieht in diesem Buch, das, als 1971 seine ersten beiden Bände erscheinen, schon über zweitausend Seiten umfasst und doch erst einen Anfang bedeutet: den Anfang des Unternehmens, einen Menschen zu verstehen, diesen Menschen Gustave Flaubert? Das Flaubert-Buch ist der großartige, einzigartige und unvollendet gebliebene Versuch, ein Beispiel zu geben für das, was Sartre in der *Kritik der dialektischen Vernunft* als die Programmatik einer historisch-strukturellen Anthropologie dargestellt hat. Es gilt, einen Menschen zu beschreiben in dem, was man aus ihm gemacht hat – und wozu er sich macht, seine Bedingtheit verwandelnd in die einmalige Gestalt seines Lebens.

Warum gerade Gustave Flaubert? Sartres Antwort ist zuerst ausweichend, er nennt äußere Gründe. Flaubert eigne sich als Studienobjekt angesichts der Fülle der existierenden Dokumente, seines umfangreichen erhaltenen Briefwechsels. Dann aber heißt es plötzlich: *Er begann mich zu fesseln, gerade weil ich in ihm in jeder Hinsicht das genaue Gegenteil von mir selbst erkannte.*[190] Eben dies bezweifelt man jedoch immer mehr, wenn man sich in die Hunderte und Hunderte von Seiten vertieft. Irgendwann erscheint es einem plötzlich, als habe Sartre in Flaubert nicht sein *genaues Gegenteil*, sondern sein Alter Ego gefunden, als beschreibe er in ihm auch sich selbst. Aber, so Sartre, letztlich ist nicht entscheidend, w e n er als Gegenstand seiner Studie gewählt hat: *Ich stelle die Konstitution der Person keineswegs als nur für Flaubert spezifisch hin, es geht in Wahrheit um uns alle. [...] die Untersuchung, die ich an Flaubert vorgenommen habe, müßte man an jedem vornehmen.*[191] In dieser Behauptung liegt natürlich eine tiefe Ambivalenz und Problematik. Nicht jeder schreibt «Madame Bovary». Zwar ist Sartre weit entfernt, Leben und Werk Flauberts einfach aufeinander abzubilden. Aber das Leben Flauberts, in seinem Ineinander von Bedingtheit

Gustave Flaubert (1821–1880) gilt der Literaturgeschichte als Meister des Realismus in der Reaktion gegen die Romantik. Realismus aber, und dies demonstriert Sartre, ist das Resultat der Imagination: einer Irrealisierung und darin Verdichtung des Wirklichen.

In der Interpretation von Flauberts Hauptwerk «Madame Bovary» wollte Sartre seinen *Versuch, diesen Menschen zu verstehen*, beglaubigen. Er ist nicht bis dahin gelangt und hat behauptet, andere könnten vollenden, was er begonnen hat. Tatsächlich scheiterte er daran, ein Leben und ein Werk in seiner Einheit vollständig zu beschreiben. Ein Scheitern, das man vielleicht als Sieg Flauberts über seinen Interpreten beschreiben kann.

und Freiheit, findet doch einen objektiven Ausdruck in diesem Werk. Wie will man dieses Ineinander fassen, wenn ein Leben sich einen solchen Ausdruck gar nicht zu geben vermag, wenn es ‹nur› das Leben eines Angestellten, eines Arztes, eines Verkäufers ist? Auch dieses Leben gibt sich seine Gestalt, aber diese kann man nicht lesen wie einen Text, der vor einem liegt. Vielleicht wäre die Untersuchung, an irgendjemand vorgenommen, noch unendlich viel schwieriger, weil sie den Text eines Lebens als solchen erst zu entziffern hätte.

Sartre beginnt mit der Beschreibung der *Konstitution* Flauberts: wie er durch seine Familie zu dem gemacht wird, der er ist. ‹Familie› ist hier in ihrer zweifachen Wirklichkeit gefasst: als eine individuelle, ein individuelles Familienschicksal und als Repräsentantin der gesellschaftlichen Klasse, des Wertesystems, dem sie angehört. Durch die Familie wird jedes Individuum zuerst mit der Ordnung der Dinge konfrontiert, in diese eingewiesen oder eben: gezwungen. Die Familie bedeutet *die reale Substanz der gemeinsamen Subjektivität* [192], durch sie begründet und erhält sich Gesellschaft.

Flaubert ist der zweite Sohn eines Chirurgen, Chefarztes in Rouen. Eines «Mannes der Wissenschaft», aufgeklärter Positivist in seinem Berufsleben, feudalistischer Patriarch im Raum der Familie. Er ist nicht der Erbe seines Vaters, dieser Status kommt dem ältesten Sohn zu. Er ist ein von seiner Mutter ohne Zärtlichkeit umsorgtes, behütetes Kind. Ein Kind, das p a s s i v ist, kein Verhältnis zu den Dingen seiner Welt zu entwickeln vermag, sie als vorhanden hinnimmt wie sich selbst. Das seinen eigenen Augen nicht traut und stattdessen den Worten der Anderen Glauben schenkt: vor allem denen des Vaters. Dem Kind bleiben diese Worte doch fremd, sie kommen von außen, erscheinen ihm als die Anwesenheit eines fremden Willens in ihm. Die Sprache erfährt es als eine Macht, die es sich nicht als s e i n e anzueignen vermag. Das Kind Gustave hat Mühe, lesen und schreiben zu lernen und erfährt dafür die Verachtung des Vaters, die es als Fluch erlebt, der über es verhängt wird. Dieses Kind empfindet Hass auf die Anderen, auf sich selbst, auf seine Unfähigkeit, aus sich selbst heraus zu sein, zu sprechen, zu handeln. *Den konkretesten Widerwillen flößt ihm die Notwendigkeit ein, daß der Mensch immer der Sohn eines Menschen sein, mit einer bereits konstituierten Vergangenheit, einer belasteten Zukunft geboren und auf die Welt kommen muß.* [193]

Sartre beschreibt Flaubert als einen Menschen des Ressentiments. Ein Mensch, der zugleich eine geheime Hoffnung hegt, eine *Hoffnung am Boden der Verzweiflung* [194]: daß sein ratloses Nein angesichts der Worte, des ihn überwältigenden Wissens der Anderen eine Wahrheit bedeuten könnte. *Das W i s s e n, so wie er es sieht – so wie es für viele Leute ist – stellt die Bosheit dar, insofern es die Humanität zerstört, jene willentlich von allen auf-*

Gustave Flaubert.
Porträtaufnahme
um 1870

rechterhaltene Illusion.[195] Dieses Wissen ist Machtwille statt Liebe zur Wahrheit, zum Menschen. Flaubert spürt dies, ist dessen gewiss – und kann dieser Gewissheit keinen Ausdruck, keine Sprache geben. Er ist der einzige verzweifelte Zeuge *seiner müßigen Überlegenheit über jene Usurpatoren, die in den Schafställen des Seins immer über ihn triumphieren werden und die er nur auf seinem Gebiet besiegen könnte, dem Nichts.*[196] Dieses Gebiet des Nichts ist der Raum der I m a g i n a t i o n . Flaubert, der Mühe hatte, sich die Sprache anzueignen, entdeckt sie als Medium der Irrealisierung, der Verwandlung des Wirklichen in Schein. Er entdeckt, ‹wählt› sich als Schriftsteller, unsicher zuerst noch, verzweifelnd an seiner Unbeholfenheit, aber doch entschieden. *Die Literatur beginnt mit der Entscheidung, die Sprache zu stehlen, sie ihren Zwecken zu entfremden und die direkten Bedeu-*

*tungen, ohne sie aufzugeben, zu Mitteln zu machen, das <u>Unartiku-</u>
<u>lierbare zu vergegenwärtigen.</u>*[197]

Dies aber setzt voraus, seinen Platz an der Seite der Welt zu haben statt in ihr, in den *Schafställen des Seins.* Der *Idiot der Familie,* dessen Versagen angesichts der Lichtgestalt seines älteren Bruders Achille, des designierten Erben des Vaters, umso gnadenloser für alle offenbar ist, deutet seine Stellung eines Außenseiters um zu einer, die dem Schriftsteller notwendig ist. Imagination verlangt Freiheit, ist Freiheit. Wer das absurde Ritual darstellen will, das das Leben der Menschen ist, darf an ihm nicht teilnehmen.

Sartre beschreibt die Obsession Flauberts, einem Toten gleich zu werden. Seinen Neid auf die liegenden Steinfiguren auf Särgen: *Man hat ihnen die menschliche Gestalt <u>ohne das Leben</u> verliehen.*[198] Flaubert will eine dieser Steinfiguren sein, um aus der Perspektive des Nichts Wirklichkeit, die scheinhafte Dichte des Seins zu zersetzen, um eine fremde Wahrheit sichtbar werden zu lassen.

Flaubert ist in den Augen Sartres ein Metaphysiker. Sein Ekel angesichts der Kontingenz des Seins ersehnt eine absolute Notwendigkeit – aber *die Notwendigkeit kann nur der müßige und <u>pathetische</u> Aufstand der Kontingenz gegen sie selbst sein*[199]. Man entgeht der Welt nicht: *Gustave wird immer der <u>Betrachtete</u> sein: Seine Wahrheit bleibt auf der Ebene dessen, der seziert, analysiert wird.*[200] Auch der Schriftsteller bleibt Teil der Welt, in der es d i e A n d e r e n gibt, die ihn, sein Werk zum Gegenstand ihres Urteils machen. Und wie um zu beteuern, dass er keiner dieser Anderen ist, hebt Sartre hervor, *daß wir ihn niemals von außen behandelt haben als reines Objekt eines definitorischen Wissens: Alles, was wir von ihm erfahren haben, hat er erlebt und gesagt.*[201]

Flauberts verzweifelte Anstrengung: *<u>Dingwerden des wahr-</u> nehmenden Subjekts: kein <u>ego</u> mehr, die Befreiung*[202] – sie scheitert, weil niemandem dies gelingen kann: die *Rückkehr zur totalen Leere in Gestalt des Nichts*[203]. Was ihm aber gelingt, ist, sich seinen Ort an der Seite der Welt zu sichern. Sartres Darstellung hat ihren Höhepunkt in der Beschreibung des S t u r z e s, einer dramatischen Ohnmacht Flauberts, durch die er sich für immer den Anforderungen der Welt der Anderen entzieht. Dieses Ereignis, das Sartre eindringlich als eine kathartische Inszenierung Flauberts schildert, definiert ihn als Kranken. *Wer verliert, gewinnt.* Nun hat er endgültig den Anspruch verloren, ein würdiger Sohn seines Vaters zu sein. Und hat alles gewonnen: Er ist Rentier, die ärmlichen Kämpfe der Welt sind seine nicht mehr.

Der Preis dieser Befreiung ist der Tod im Leben. Die Ohnmacht ist *kein Bild des Todes, sie ist der Tod selbst: Zunächst verliert man dabei das Bewußtsein, aber vor allem ist sie eine Schlußfolgerung; ein ganzes, von einem besonderen Unglück zermürbtes Leben versinkt darin. Man überlebt zwar, aber man ersteht nicht wieder auf: man altert. Nach einigen dieser kurzen Existenzen ist man hundert Jahre alt.*[204]

Diesen Tod im Leben, dieses Nein zum «Willen zum Leben» behauptet Sartre, über Flaubert hinaus, als die Bedingung der Möglichkeit, Schriftsteller, Künstler zu sein. Er, der sich nie zuvor auf Schopenhauer bezogen hat, nimmt ihn hier als seinen Zeugen in Anspruch. Schopenhauer hatte in «Die Welt als Wille und Vorstellung» die ästhetische Anschauung als den einzigen Ort der Freiheit behauptet. Hier, in ihr allein sind wir, wenn auch nur für Augenblicke, befreit vom Leben, von einer Welt, deren Wesen blinder Wille ist. Hier allein, in dieser Leere der Welt, vermögen wir sie frei anzuschauen. *Der Künstler ist leer, seine Inspiration ist draußen, sie durchstöbert unablässig das Reale, um es in Mögliches zu verwandeln, das heißt in Schein; deshalb ist sie permanent und unendlich: Ihr Material ist nichts anderes als die Welt, ein unerschöpfliches Reservoir an potentiellen Bildern, die sich irrealisieren werden, ohne ihren Platz zu verlassen und ohne das leere Bewußtsein dessen zu durchdringen, der beschlossen hat, nichts zu sein, um sich das Ganze zum Schauspiel zu machen.*[205]

Sartre beschreibt in seinem Flaubert-Buch jedoch nicht irgendjemand. Er beschreibt, wie ein Mensch, dieser Mensch, der Welt zu entgehen versucht, um sie zum Gegenstand seiner Imagination zu machen. Wenn er auf Hunderten von Seiten seinem programmatischen Anspruch vollständig gerecht zu werden versucht und detailliert die ökonomischen und gesellschaftlichen Verhältnisse darstellt und analysiert, wie sie, als eine Gestalt des ‹objektiven Geistes›, das Leben Flauberts bestimmten, ist dies von großer Erklärungskraft und Evidenz. Faszinierend für ihn an der Gestalt Flauberts aber ist zuletzt das N e i n, das dieser Mensch seiner Welt entgegensetzt, das er zur Wahrheit seines Lebens macht. Darum hat er ihn gewählt.

Das Flaubert-Buch bleibt Fragment, ein riesiges, voluminöses Fragment. Der geplante vierte Band, die Interpretation von «Madame Bovary», bleibt ungeschrieben. Sartre wollte das Buch vollenden. *Höhere Gewalt*, wie er es 1975 im Gespräch mit Michel Contat nennt, hinderte ihn: Krankheit und Erblindung. Hätte er es ohne dieses Schicksal vollenden können? Kann man einen Menschen vollkommen verstehen, sodass zuletzt alles über ihn gesagt ist? Hätte Sartre, diesem Wahn folgend, wäre er nicht erblindet, immer weiter und endlos an diesem Buch geschrieben? Eine absurde Vorstellung. War sein Unternehmen also von Anfang an zum Scheitern verurteilt? Vielleicht nur, wenn man es in der Perspektive seiner möglichen Vollendung betrachtet. Denn Sartre hat es ja vermocht, diesen Menschen Flaubert sichtbar, verstehbar zu machen – aber nur ein Stück weit. Darum entspricht es diesem Buch, ein Fragment geblieben zu sein. Er selbst hat es einen *Roman* genannt. Der Roman eines Lebens ist nicht dieses Leben, das er erzählend verdichtet, dessen ganze Wahrheit ihm zugleich notwendig entgeht.

Allgemein formuliert bedeutet dies: Sartres historisch-strukturelle Anthropologie hat ein I n d i v i d u u m zu ihrem Gegenstand, ein zuletzt in der Einmaligkeit seines Wesens Unsagbares. Diese Anthropologie hat die metaphysische Behauptung eines allgemeinen Wesens des Menschen hinter sich gelassen. Und so wie sie leugnet, dass die Begriffe der Metaphysik die Wirklichkeit der Existenz des Menschen zu beschreiben vermögen, so leugnet sie, dass diese Wirklichkeit in der von Strukturen aufgeht. Ein Individuum ist immer mehr als das Sein, durch das es bestimmt wird. Dieses Mehr aber ist niemals vollständig darstellbar. Darum muss die Antwort auf die Frage, wer dieser eine Mensch ist, Flaubert oder ein anderer, notwendig fragmentarisch bleiben.

In diesen sechziger Jahren ist Sartre vollkommen in das Flaubert-Buch vertieft. Man wundert sich über sein offensichtliches Desinteresse an den philosophischen Debatten dieser Zeit, über seine Zurückgezogenheit. Wer dahinter eine Müdigkeit Sartres vermutete, ist überrascht und fasziniert von der Unmittelbarkeit und Stärke seiner Präsenz in den selten gewordenen Situationen seines Auftretens. So beschreibt die in Paris lebende amerikanische Journalistin Janet Flanner in ihrem «Pariser Tagebuch» einen der denkwürdigsten Auftritte aus diesen Jahren: ein Vortrag Sartres, dessen Anlass ein Kolloquium zu Ehren Kierkegaards war, veranstaltet im Mai 1964 von der UNESCO. Botschaften von Heidegger und Jaspers werden vorgetragen. Studenten der Sorbonne bestürmen die geschlossenen Türen und werden, «obwohl sie nicht eingeladen waren, auf den Ruf ‹Wir sind auch Philosophen!› eingelassen. […] Die Honoratioren quetschten sich auf ihren Bänken zusammen, um der Jugend Platz zu machen, die sich im übrigen in die Gänge und auf den Fußboden setzte und so Jean-Paul Sartre während seines langen Vortrags gut sehen konnte. Er war der Star, dem sie in stiller Verehrung zusahen und zuhörten.»[206] «Stille Verehrung» ist nicht das, was Sartre sich wünscht. Aber das Bild beschreibt die Ausstrahlung, die sein Name besitzt – souverän gegenüber den schwankenden Konjunkturen der philosophischen Debatten.

« Im Grunde bin ich
immer Anarchist geblieben »

Sartre ist beinahe sechzig Jahre alt. Er führt sein Leben des Schreibens, der Reisen, in diesen Jahren nach Japan, Ägypten und Israel. Er lebt mit den Menschen, die seine ‹Familie› bilden: Simone de Beauvoir, seine Mutter, mit der er lange Jahre zusammenwohnte, die 1969 stirbt, Arlette Elkaïm, die er adoptierte, andere Frauen, mit denen ihn eine zum Teil jahrzehntelange Freundschaft verbindet. In einem öffentlichen Gespräch über «Machismus und Ebenbürtigkeit», das er mit Simone de Beauvoir führt, spricht er noch einmal darüber, dass er sein Leben lang die Gesellschaft der Frauen der der Männer vorgezogen hat. *Ich hatte den Eindruck, daß die Frau einen bestimmten Typus der Gefühle und eine gewisse Art, zu sein, hat, die ich in mir selbst wiederfand. Ich konnte mich daher sehr viel besser mit Frauen als mit Männern unterhalten. Unterhaltungen unter Männern arten immer in berufliche Gespräche aus. Man kommt immer auf die augenblickliche Wirtschaftslage oder auf den griechischen Aorist zu sprechen, je nachdem, ob man Lehrer oder Kaufmann ist. Aber es kommt selten vor, daß man sich beispielsweise auf einer Caféterrasse zusammensetzt und über das Wetter, die Passanten und das Treiben auf der Straße plaudert, wie ich es mit Frauen immer wieder getan habe.*[207] Der Verächter des Bürgertums, der bürgerlichen Familie hat sich einen anderen Ort geschaffen, in der Welt der Frauen, als ihr wirklicher oder eingebildeter Souverän. Denn natürlich, so Sartre, war es immer so, dass *ich es war, der das Gespräch führte. Ich führte es, weil ich es so beschlossen hatte.*[208] Das Gespräch mündet in das seltsame Bekenntnis Sartres, dass gerade die Erfahrung der Ebenbürtigkeit in seiner Beziehung zu Simone de Beauvoir es ihm erlaubt habe, anderen Frauen machistisch zu begegnen. Als habe seine Anerkennung ‹der Einen› als ihm gleichrangig ihm das Recht gegeben, all die anderen in ihrem Anspruch auf Gleichheit missachten zu dürfen.

Sartre und die Sphinx. Reise nach Ägypten 1967

Sartres politisches Auftreten in diesen Jahren hat sein Zentrum in seiner Rolle als Vorsitzender des Russell-Tribunals, als Ankläger des amerikanischen Verbrechens des Vietnamkriegs. Es geht, wie im Algerienkrieg, nicht mehr um das Gegenüber der Weltmächte. Es geht um die ‹Dritte Welt›, um ihre brutale und gnadenlose Unterwerfung unter die Interessen dieser herrschenden Mächte. Die Revolte des Mai '68 hat für Sartre in der Rückschau im Vietnamkrieg ihren entscheidenden Grund. *Ich bin immer der Meinung gewesen, daß die Mai-Bewegung vom Vietnamkrieg verursacht worden ist. Für die französischen Studenten, die den Mai-Aufstand auslösten, bedeutete der Vietnamkrieg nicht nur eine Parteinahme für die Nationale Befreiungsfront und das vietnamesische Volk gegen den amerikanischen Imperialismus. Die ungeheure Wirkung, die dieser Krieg auf europäische und amerikanische Linke ausgeübt hat, beruhte darauf, daß er den Bereich des Möglichen vergrößert hat. Bis dahin hatte man es nicht für möglich gehalten, daß die Vietnamesen der riesigen amerikanischen Kriegsmaschinerie standhalten, ja sie sogar besiegen könnten. Aber gerade das haben sie*

Pariser Mai-Aufstand 1968

getan und damit [...] eine ganz neue Perspektive eröffnet: [...] daß es Möglichkeiten gab, die bisher unbekannt waren. Nicht das alles möglich war, aber das man nur das als unmöglich erklären kann, was man versucht hat und womit man gescheitert ist.[209] «Das Imaginäre wird zum Realen», hieß eine der Parolen des Mai '68, und eine andere: «Seid realistisch: Verlangt das Unmögliche».

Diese Revolte war auch für Sartre ein plötzliches, unerwartetes Ereignis. Aber natürlich ist er begeistert. Zusammen mit anderen veröffentlicht er am 10. Mai 1968 in «Le Monde» eine Art Manifest, in dem er sich mit der Bewegung identisch erklärt und die politischen Institutionen und die Medien anklagt, ihren Sinn bewusst zu verfälschen. Er trifft sich mit Daniel Cohn-Bendit und führt mit ihm ein Gespräch, das im «Nouvel Observateur» erscheint. Wir alle haben, bemerkt Cohn-Bendit kurz darauf im Blick auf die Bedeutung Sartres für die revoltierenden Studenten, natürlich Sartre gelesen. Aber er wehrt sich dagegen, den Philosophen als den ‹geistigen Vater› der Bewegung anzusehen.[210] Im Juni veröffentlicht Sartre im «Nouvel Observateur» zwei Artikel über *Die Ideen des Mai '68*, in denen er den Staat einer Politik der Feigheit bezichtigt und de Gaulle, angesichts dessen Appells, Bürgerwehren zu bilden, der Mordhetze anklagt. Die Bewegung ist längst keine nur der Studenten mehr: Generalstreik, über eine Million Menschen sind am 13. Mai 1968, dem zehnten Jahrestag der Rückkehr de Gaulles an die Macht, auf der Straße. Die Studenten aber waren der Anfang der Bewegung. In seinen Artikeln wendet Sartre sich vor allem an sie. Er beschreibt das System der Universität, wie er es selbst erlebt hat, als ein System der Macht, das seither unverändert besteht. Kurz darauf spricht er in der Sorbonne, die von den Studenten besetzt wurde. Tausende stürmen den Saal, bedrängen ihn mit Fragen, Mikrophone übertragen die Veranstaltung nach draußen. Ist Sartre doch ein ‹geistiger Vater› der Revolte, zu der es gehört, ihre Väter zu verleugnen?

Jedenfalls nimmt die Bewegung ihn in die Pflicht. 1970 wird der Herausgeber von «La Cause du Peuple», dem Organ

26. Juni 1970: Sartre verteilt die illegale Zeitschrift
«La Cause du Peuple»

Sartre spricht vor den Arbeitern des Renault-Werkes. Neben ihm ein Freund, der Dramatiker Georges Michel

der «Gauche Prolétarienne», der anarchistischen Linken, verhaftet, die Zeitschrift beschlagnahmt. Sartre erklärt sich bereit, als ihr neuer Herausgeber die Zeitschrift quasi seinem Schutz zu unterstellen. Er beteiligt sich an ihrem illegalen Verkauf: Das Bild Sartres als Straßenverkäufer von «La Cause du Peuple» erlangt Berühmtheit. Gemeinsam mit anderen gründet er eine «revolutionäre Presseagentur», «Libération», und einige Zeit später eine Tageszeitung gleichen Namens. Er spricht vor den Arbeitern des Renault-Werkes. Er beteiligt sich an einer von Michel Foucault und anderen initiierten Kampagne gegen die Haftbedingungen in den französischen Gefängnissen. Er nimmt teil an einer Protestveranstaltung gegen den Rassismus gegenüber den ausländischen Arbeitern.

Scheinbar bedingungslos scheint Sartre sich in den ‹Dienst der Bewegung› zu stellen. Aber dann fordern sie von ihm, sein Flaubert-Buch aufzugeben und stattdessen einen «Volksroman» zu schreiben, der «der Sache der Revolution dient». Seine Antwort ist ironisch und zugleich entschieden. Erstens wisse er gar nicht, wie ein solcher Roman aussehen könnte, und im Übrigen: *Ich sehe keine Notwendigkeit und spüre auch innerlich nicht das Bedürfnis dazu: Ich habe noch so viel anderes zu tun.*[211] Da ist die Bewegung, die Politik, das Handeln – aber da ist auch sein Werk, das er noch nicht vollendet hat, das er um jeden Preis vollenden will.

1974 kommt es zu einem spektakulären Ereignis: Sartre besucht Andreas Baader im Gefängnis in Stuttgart-Stammheim. Ein Jahr zuvor hatte er in einem Gespräch mit dem «Spiegel» über Baader und Ulrike Meinhof gesprochen, über ihre Gruppe als ein Phänomen, das ihn sehr interessiere. Klaus Croissant, der Anwalt Baaders, wendet sich an Sartre, bittet ihn um Unterstützung im Kampf gegen die Haftbedingungen der

Stuttgart-Stammheim: Sartre zeigt seinen Pass einem Beamten. In der Mitte Klaus Croissant

Gefangenen. Dieser erhält schließlich eine Besuchserlaubnis: Am 4. Dezember 1974 trifft Sartre Andreas Baader in dessen Zelle, eine knappe halbe Stunde lang. Anschließend gibt er eine Pressekonferenz, sekundiert von Daniel Cohn-Bendit, der ihm als Dolmetscher dient. Er beschreibt die Lebensbedingungen Baaders im Gefängnis als unerträglich und unmenschlich und formuliert einen Appell für die Schaffung einer «Internationalen Kommission zum Schutz der politischen Gefangenen», den neben ihm selbst Heinrich Böll unterzeichnet. Zugleich macht er deutlich, dass es ihm nicht darum geht, den Terror symbolisch zu unterstützen.

Maßlose Empörung ist das Echo dieses Auftritts in der politischen Öffentlichkeit Deutschlands. Sartre wird als Terroristenfreund beschimpft, im besten Fall wird ihm Naivität unterstellt. War er naiv? Er selbst beschreibt seinen Besuch in Stuttgart-Stammheim ein Jahr später als *Mißerfolg*. Es hat *keine Wirkung gegeben als eben diesen heiligen Zorn der Presse und der Leute, die mir geschrieben haben. Mit anderen Worten, ich glaube, mein Besuch bei Baader war ein Mißerfolg. Durch ihn ist die öffent-*

Sartre und Daniel Cohn-Bendit bei der Pressekonferenz nach Sartres Treffen mit Andreas Baader

liche Meinung in Deutschland nicht geändert worden. Er hat sogar der Sache, die ich fördern wollte, eher geschadet. Ich konnte bei meiner Pressekonferenz noch so viel sagen, es ginge mir nicht um die Straftaten, die Baader zur Last gelegt werden, sondern nur um seine Haftbedingungen – die Journalisten glaubten dennoch, daß ich die politischen Handlungen Baaders guthieße. Es war also meiner Meinung nach ein Mißerfolg, aber ich würde es trotzdem wieder tun.[212] Sein Gegenüber erinnert ihn an eine Sentenz ein paar Jahre zuvor: *daß ich mich im Grunde nicht geändert habe und immer ein Anarchist geblieben bin. – Das ist richtig,* lautet die lakonische Antwort.[213]

Sartre, sein Handeln, irritiert – auch in Frankreich: Der nunmehr Siebzigjährige, der sich mit anarchistischen Fünfundzwanzigjährigen verbündet, sich ihnen, so sieht man es, dienstbar macht, ihre Gesellschaft offenbar als anregender empfindet als die seiner alten intellektuellen Freunde von «Les Temps Modernes». Besonderes Aufsehen erregt seine enge Beziehung zu einer der Leitfiguren der «Gauche Prolétarienne», Absolvent der École normale supérieure, Benny Lévy alias Pierre Victor. Lévy ist Sartres ‹Sekretär›, tatsächlich sein täglicher Gesprächspartner, den er, dem Stil der Szene folgend, duzt: eine Ungeheuerlichkeit angesichts dessen, dass er niemanden in seinem bisherigen Leben geduzt

Doch wollte ich noch einmal auf Sartre in Deutschland kommen. Es wäre unfair, wenn wir die Stammheimer Episode unterdrückten. Ich habe das damals mit Trauer verfolgt und habe mit Trauer am Bildschirm auch Sartre gesehen, wie er, flankiert von sehr gerissenen, geschickten Bürschlein, aufgetreten ist, um in einer Sache Stellung zu nehmen, die er überhaupt nicht kannte und überhaupt nicht durchschaute. Die Pressekonferenz, in der er dann sprach, war im Grunde kläglich. Und zwar nicht etwa, wie manche Leute gesagt haben: Na ja, der Sartre ist eben alt geworden, das ist nicht mehr der alte Sartre. Sondern weil er sich in einen Hinterhalt hatte locken lassen, weil er nicht wußte, wofür er eintrat und was er eigentlich meinte. Man kann nicht – obwohl die Frage sehr mit Recht gestellt wurde – über die Zustände in Stammheim sprechen, indem man gleichzeitig alles eliminiert, was zu Stammheim geführt hat. Indem Sartre das versuchte, hat er eine im Grunde völlig undialektische Position bezogen; daran mußte er notwendigerweise scheitern.

Hans Mayer in einem Gespräch mit Rolf Vollmann zwei Tage nach dem Tod Sartres im Südwestfunk

hat, auch nicht Simone de Beauvoir. Demontiert Sartre sich selbst, macht er sich in peinlicher Weise zum Gefährten junger Radikaler?

Das Phänomen hat zwei Gesichter. Das eine ist das – wunderbare oder eben nur lächerliche – Bemühen Sartres, ‹jung zu sein›: in jedem Augenblick fähig zu sein, das infrage zu stellen, was er bis gestern für seine Wahrheit gehalten hatte. Ein Philosoph, der seit langem das Recht hätte, angesichts seines Werks als eine unnahbare Instanz aufzutreten, will mit den Menschen sprechen, die seine Leser sind, vor allem eben mit den Jungen. Studenten, Doktoranden, die über sein Werk arbeiten, besuchen ihn und er diskutiert mit ihnen, als jemand, der nicht «ex cathedra» spricht, sondern für den selbst alles immer wieder neu zu einer Frage wird.

Das andere Gesicht ist Krankheit und das plötzliche Angewiesensein auf Andere. Seit 1973 erblindet Sartre allmählich. Er kann nicht mehr schreiben, nicht mehr lesen. Und will doch weiterarbeiten. Dazu bedarf er der Hilfe der anderen, bedarf er dieses Sekretärs, der ihm ein tägliches Gegenüber wird, notwendiges Medium seiner Gedanken durch ihr Gespräch. Nüchtern stellt Sartre selbst seine Situation dar: *Ich sehe nicht, was ich schreibe. Und das Lesen ist mir völlig unmöglich: Ich sehe Zeilen, Abstände zwischen den Wörtern, aber die Wörter selbst kann ich nicht mehr entziffern. Da mir die Fähigkeit zu lesen und zu schreiben genommen ist, habe ich keine Möglichkeit mehr, mich als Schriftsteller zu betätigen: Mit meinem Beruf als Schriftsteller ist es vorbei.*[214] In gewissem Sinne, so Sartre, *nimmt mir das jede Daseinsberechtigung: Ich war, aber ich bin nicht mehr.*[215] Dieser nüchtern-pathetischen Erklärung folgt ein einfacher Satz: *Aber ich kann noch sprechen.*[216]

Sartre, für dessen Werk, vielleicht auch für dessen Person, E i n s a m k e i t das Wort ist, das sein Zentrum beschreibt – er sucht dieses Werk sprechend, durch das Gespräch weiterzuführen. Er plant, zusammen mit Benny Lévy, ein Buch mit dem Titel «Macht und Freiheit», das die Resultate ihres gemeinsamen Nachdenkens darstellen soll. Entschlossen, nicht aufzugeben, behauptet er gegenüber Lévy die Situation, in der ihm

Sartre bei den Aufnahmen zu dem Film «Sartre par lui-même»
von Alexandre Astruc und Michel Contat, der 1976 uraufgeführt
wurde

fast alles genommen ist, was sein Leben ausmachte, als die einer neuen, ihn bereichernden Erfahrung: *Ich war zum Dialog gezwungen, weil ich nicht mehr schreiben konnte. [...] Und das, das hat meine Arbeitsweise vollständig verändert, denn bis dahin hatte ich immer nur allein gearbeitet, allein am Schreibtisch mit einem Stift und einem Blatt Papier vor mir. Jetzt dagegen bilden wir gemeinsam Gedanken. Manchmal bleiben wir verschiedener Meinung. Aber es ist ein Austausch da, an den ich gewiß erst im Augenblick des Alters denken konnte. [...] Das ist es, was unsere Zusammenarbeit mir einbringt: plurale Gedanken, die wir gemeinsam ausgebildet haben und die mir ständig Neues liefern.*[217]

Sartre und Lévy beschließen im Herbst 1979, die konzentrierte Fassung eines Teils ihrer Gespräche unter dem Titel «Hoffnung jetzt» zu veröffentlichen. Darüber kommt es am Ende von Sartres Leben beinahe zum Zerwürfnis mit Simone de Beauvoir. Sie liest den Text, wie sie ein Leben lang alle Texte Sartres las und kommentierte, bevor er sie veröffentlichte. Und sie ist entsetzt. Entsetzt von dem Ton, dem Gestus des Gesprächs, in dem der weltberühmte Sartre ‹von gleich zu gleich› mit einem jungen Namenlosen spricht, der ihn glaubt zur Rede stellen zu dürfen. Entsetzt von seinem Inhalt, den Äußerungen Sartres, in denen er sich in ihren Augen selbst widerspricht, den Gehalt seines Denkens willkürlich preisgibt. Hat sie Recht mit ihrem Urteil? Dass der Gestus dieses Gesprächs sie entsetzen muss, ist unmittelbar verständlich. Ist aber sein Inhalt so desaströs, wie er ihr erscheint? Liest man es, will man ihr zustimmen. Sartre hat die Schärfe und Bestimmtheit seiner Sprache verloren. Seine Äußerungen sind von einer beklemmenden Vagheit, tatsächlich denunziert er sich selbst, behauptet zum Beispiel die Bedeutung Kierkegaards für sein Denken als bloßen Ausdruck einer «Mode», der er folgte. Dieses Gespräch ist nicht die Summa des Denkens Sartre, es ist ein Dokument seines verzweifelten Versuchs, gegenwärtig zu bleiben, ‹in der Welt zu sein› bis zum letzten Augenblick seines Lebens.

Als der Text, wider das Veto Simone de Beauvoirs, im März 1980 im «Nouvel Observateur» erscheint, liegt Sartre im Sterben. Er hat seinen Tod erwartet, aber noch nicht jetzt. *Wenn ich noch zehn Jahre zu leben habe,* sagt er 1975 im Gespräch mit Michel Contat, *dann ist das sehr gut, gar nicht schlecht.* Und er beschreibt seine Projekte, unter anderem ein Buch, das er zusammen mit Simone de Beauvoir angefangen hat, auf der Basis von Gesprächen, und das eine Fortsetzung von *Die Wörter* sein soll, aber *nicht im Stil der Wörter, da ich ja keinen Stil mehr haben kann.* Und in einem traurigen Zusammen von Abschied und einem letzten Rest von Hoffnung, von Zukunft heißt es: *Wichtig für mich ist, daß ich getan habe, was zu tun war. Gut oder schlecht, darauf kommt es nicht so sehr an, Hauptsache, ich habe es versucht. Und dann, es bleiben ja noch zehn Jahre.*[218]

Am 15. April 1980 stirbt Sartre. Vier Tage später folgen mehr als fünfzigtausend Menschen seinem Sarg auf dem Weg zum Friedhof Montparnasse.

Die Aura eines Namens. Dieser Begräbniszug ist wie ein Bekenntnis zu diesem Menschen Jean-Paul Sartre. Diesem großen Schriftsteller und Philosophen, diesem Moralisten ohne Moral, der die Menschen daran erinnert hat, dass jeder von uns mitentscheidet über das Gesicht der Welt. Der handeln wollte und gehandelt hat, fehlbar, irrend. Und doch als Zeuge, dass auch wenn Gott tot ist ein Wert existiert, gefährdet und verletzbar, den wir zu verteidigen haben: das Leben des endlichen Menschen, in seinem Recht auf Freiheit, auf Würde seiner Gestalt.

Dieser Mensch Jean-Paul Sartre hat zugleich am Ende seines Lebens darin eingestimmt, dass nichts den Menschen zu retten vermag vor der Grundlosigkeit seines Daseins, seiner Zufälligkeit, dass nichts ihn zu ‹rechtfertigen› vermag als ein notwendiges Wesen. Und dass zuletzt sein Tod die Absolutheit seiner Einsamkeit bedeutet. *Wieder bin ich, wie damals mit sieben Jahren, der Reisende ohne Fahrkarte: Der Schaffner ist in mein Abteil gekommen und schaut mich an, weniger streng als einst. Er möchte am liebsten wieder hinausgehen, damit ich meine Reise in Frieden beenden kann; ich soll ihm nur eine annehmbare Entschuldigung sagen, ganz gleich welche, dann ist er zufrieden. Unglücklicherweise finde ich keine und habe übrigens auch keine Lust, eine zu suchen. So bleiben wir miteinander im Abteil, bis zur Station Dijon, wo mich, wie ich genau weiß, niemand erwartet.*[219]

ANMERKUNGEN

1 Jean-Paul Sartre: Das Sein und das Nichts. Reinbek 1993, S. 761
2 Jean-Paul Sartre: Tagebücher. Les carnets de la drôle de guerre. November 1939 – März 1940. Reinbek 1984, S. 360
3 Ebenda, S. 363
4 Jean-Paul Sartre: Die Wörter. Reinbek 1968, S. 51
5 Ebenda
6 Ebenda, S. 12
7 Ebenda, S. 20
8 Ebenda, S. 30
9 Ebenda, S. 35
10 Jean-Paul Sartre: Herostrat. In: Ders.: Die Mauer. Reinbek 1973, S. 50
11 Ebenda
12 René Descartes: Meditationen über die Grundlagen der Philosophie. Hamburg 1972, S. 25
13 Jean-Paul Sartre: Die Wörter, S. 35
14 Ebenda, S. 65
15 Ebenda, S. 138
16 Ebenda, S. 112
17 Ebenda, S. 60
18 Ebenda, S. 126
19 Ebenda, S. 130
20 Paul Nizan: Aden. Reinbek 1969, S. 9 (veröffentlicht zuerst 1931)
21 Jean-Paul Sartre: Über Paul Nizan. Was brauchen wir eine Kassandra? In: Sartre über Sartre. Aufsätze und Interviews 1940 – 1976. Hg. von Traugott König. Reinbek 1977, 1988, S. 18 f.
22 Jean-Paul Sartre: Die Wörter, S. 112 f.
23 Jean-Paul Sartre: Über Paul Nizan. Was brauchen wir eine Kassandra? S. 23
24 Ebenda
25 Jean-Paul Sartre: Der Ekel. Reinbek 1982, S. 145 f.
26 Ebenda, S. 147
27 Ebenda, S. 149
28 Jean-Paul Sartre: Die Wörter, S. 143
29 Jean-Paul Sartre: Selbstporträt mit siebzig Jahren. In: Sartre über Sartre, S. 238
30 Jean-Paul Sartre: Skizze einer Theorie der Emotionen. In: Ders.: Die Transzendenz des Ego. Philosophische Essays 1931 – 1939. Reinbek 1982, S. 255 – 322
31 Jean-Paul Sartre: Selbstporträt mit siebzig Jahren, S. 236
32 Jean-Paul Sartre: Briefe an Simone de Beauvoir. Band 2. 1940 – 1963. Reinbek 1985, S. 249
33 Martin Heidegger: Sein und Zeit. Tübingen [12]1972, S. 384
34 Jean-Paul Sartre: Das Sein und das Nichts, S. 842
35 Ebenda, S. 435
36 Jean-Paul Sartre: Eine fundamentale Idee der Phänomenologie Husserls: die Intentionalität. In: Ders.: Die Transzendenz des Ego, S. 33
37 Ebenda, S. 37
38 Jean-Paul Sartre: Das Sein und das Nichts, S. 761 f.
39 Vgl. ebenda, S. 597
40 Ebenda, S. 1052
41 Ebenda, S. 1012
42 Ebenda, S. 435
43 Ebenda, S. 638
44 Ebenda, S. 712 f.
45 Vgl. ebenda, S. 519
46 Ebenda, S. 636, S. 657
47 Jean-Paul Sartre: Baudelaire. Reinbek 1978, S. 21
48 Ebenda
49 Sartre: Das Sein und das Nichts, S. 137
50 Vgl. ebenda, S. 688
51 Ebenda, S. 658
52 Ebenda, S. 650
53 Jean-Paul Sartre: Tagebücher, S. 389
54 Vgl. Simone de Beauvoir: Die Zeremonie des Abschieds, Reinbek 1983, S. 373 f.
55 Jean-Paul Sartre: Tagebücher, S. 116
56 Ebenda, S. 396
57 Ebenda, S. 397 f.
58 Ebenda, S. 392 f.

59 Ebenda, S. 397
60 Vgl. Jean-Paul Sartre: Briefe an Simone de Beauvoir. Band 1. Reinbek 1984, S. 195
61 Ebenda, S. 195 f.
62 Jean-Paul Sartre: Briefe an Simone de Beauvoir. Band 2. Reinbek 1984, S. 112
63 Ebenda
64 Ebenda, S. 117 und S. 196
65 Simone de Beauvoir: In den besten Jahren. Reinbek 1961, S. 110
66 Jean-Paul Sartre: Tagebücher, S. 379 f.
67 Jean-Paul Sartre: Die Mauer, S. 20
68 Simone de Beauvoir: In den besten Jahren, S. 124
69 Jean-Paul Sartre: Tagebücher, S. 380
70 Vgl. Martin Heidegger: Sein und Zeit, vor allem § 18: «Bewandtnis und Bedeutsamkeit; die Weltlichkeit der Welt» sowie § 31: «Das Dasein als Verstehen»
71 Ebenda
72 Jean-Paul Sartre: Briefe an Simone de Beauvoir. Band 2, S. 41
73 Martin Heidegger: Sein und Zeit, S. 16
74 Ebenda, S. 128
75 Jean-Paul Sartre: Das Sein und das Nichts, S. 918
76 Ebenda, S. 923
77 Ebenda, S. 929
78 Ebenda, S. 936
79 Martin Heidegger: Sein und Zeit, S. 129
80 In einer Vorlesung im Wintersemester 1929/30 bestimmt Heidegger ‹Einsamkeit› als metaphysischen Grundbegriff; vgl. Martin Heidegger: Die Grundbegriffe der Metaphysik. Welt – Endlichkeit – Einsamkeit. GA Band 29/30. Frankfurt a. M. 1983
81 Jean-Paul Sartre: Das Sein und das Nichts, S. 836
82 Ebenda, S. 838
83 Ebenda, S. 881, S. 897
84 Ebenda, S. 745
85 Ebenda, S. 730
86 Jean-Paul Sartre: Der Ekel, S. 146
87 Jean-Paul Sartre: Das Sein und das Nichts, S. 714 f.
88 Jean-Paul Sartre: Die Wörter, S. 126
89 Jean-Paul Sartre: Das Sein und das Nichts, S. 903
90 Jürg Altwegg in der «Frankfurter Allgemeinen Zeitung» vom 9. 10. 2000
91 Vgl. Jean-Paul Sartre: Betrachtungen zur Judenfrage. In: Ders.: Drei Essays. Frankfurt a. M. 1975, S. 114
92 Jean-Paul Sartre: Das Sein und das Nichts, S. 891
93 Vgl. ebenda
94 Ebenda, S. 890
95 Ebenda, S. 896
96 Ebenda, S. 856
97 Ebenda, S. 973
98 Ebenda, S. 974
99 Zitiert nach Annie Cohen-Solal: Sartre. 1905–1980. Reinbek 1988, S. 274
100 Simone de Beauvoir: In den besten Jahren, S. 428
101 Jean-Paul Sartre: Über Merleau-Ponty. Freundschaft und Widersprüche. In: Sartre über Sartre, S. 71
102 Jean-Paul Sartre: Selbstporträt mit siebzig Jahren, S. 239 f.
103 Jean-Paul Sartre: Die Republik des Schweigens. In: Paris unter der Besatzung. Reinbek 1980, S. 37
104 Jean-Paul Sartre: Das Ende des Krieges. In: Ders.: Paris unter der Besatzung, S. 75
105 Jean-Paul Sartre: Interview mit new left review. In: Sartre über Sartre, S. 163 f.
106 G. W. F. Hegel: Wissenschaft der Logik. Theorie-Werkausgabe. Frankfurt a. M. 1970 f. Band 5, S. 49
107 Hegel: Phänomenologie des Geistes, Band 3, S. 74
108 Simone de Beauvoir. In den besten Jahren, S. 481
109 Vgl. Albert Camus: Tagebücher 1935–1951. Reinbek 1972, S. 220, S. 223
110 Jean-Paul Sartre: Der Ekel, S. 175

111 Albert Camus: Tagebücher 1935–1951, S. 212

112 Jean-Paul Sartre: Über Merleau-Ponty. Freundschaft und Widersprüche, S. 81 f.

113 Ebenda, S. 90 f.

114 Maurice Merleau-Ponty: Die Abenteuer der Dialektik. Frankfurt a. M. 1974, S. 187

115 Ebenda, S. 194

116 Ebenda, S. 197

117 Maurice Merleau-Ponty: Humanismus und Terror. Band 2. Frankfurt a. M. 1966, S. 62 f.

118 Ebenda, S. 15

119 Ebenda, S. 16

120 Maurice Merleau-Ponty: Die Abenteuer der Dialektik, S. 197

121 Ebenda, S. 247

122 Ebenda, S. 280

123 Jean-Paul Sartre: Über Merleau-Ponty. Freundschaft und Widersprüche, S. 115

124 Simone de Beauvoir: Die Zeremonie des Abschieds, S. 187 f.

125 Jean-Paul Sartre: Materialismus und Revolution. In: Ders.: Drei Essays. S. 97

126 Ebenda, S. 98

127 Ebenda, S. 101

128 Ebenda, S. 102

129 Ebenda

130 Ebenda, S. 105

131 Ebenda

132 Jean-Paul Sartre: Der Ekel, S. 135

133 Jean-Paul Sartre: Ist der Existentialismus ein Humanismus? In: Ders.: Drei Essays, S. 12 f.

134 Er wurde gleich zu Anfang dieses Buches zitiert. Bei Sartre findet er sich auf Seite 761 von *Das Sein und das Nichts* in der hier zitierten Ausgabe.

135 Albert Camus: Der Mensch in der Revolte. Reinbek 1953, S. 270

136 Ebenda, S. 8

137 Ebenda, S. 27

138 Albert Camus: Brief an den Herausgeber der «Temps Modernes». In: Jean-Paul Sartre: Krieg im Frieden. Band 2. Hg. von Traugott König und Dietrich Hoß. Reinbek 1982, S. 7 ff., hier S. 22

139 Ebenda

140 Ebenda, S. 24

141 Vgl. ebenda, S. 25

142 Ebenda, S. 28

143 Ebenda

144 Ebenda, S. 32

145 Ebenda, S. 34

146 Ebenda, S. 37

147 Ebenda, S. 45

148 Vgl. Jean-Paul Sartre: Albert Camus. In: Ders.: Porträts und Perspektiven. Reinbek 1971, S. 102 ff.

149 Jean-Paul Sartre: Der Teufel und der liebe Gott. In: Gesammelte Dramen. Reinbek 1969, S. 363

150 Interview mit Jean-Paul Sartre. Le Monde, 18. April 1964. Deutsch veröffentlicht in: Kursbuch 1. Frankfurt a. M. 1965, S. 120 ff., hier S. 120

151 Ebenda, S. 121

152 Vgl. Jean-Paul Sartre: Selbstporträt mit siebzig Jahren, S. 241 f.

153 G. W. F. Hegel: Vorlesungen über die Philosophie der Geschichte. Stuttgart 1961, S. 83

154 Jean-Paul Sartre: Fragen der Methode (Marxismus und Existentialismus. Versuch einer Methodik). Reinbek 1964, S. 34

155 Ebenda, S. 29

156 Ebenda

157 Ebenda, S. 35

158 Ebenda

159 Vgl. ebenda

160 Ebenda, S. 92

161 Vgl. ebenda, S. 93

162 Ebenda, S. 144

163 Ebenda, S. 146

164 Ebenda, S. 173

165 Zitiert nach einem Artikel von Dominique Birmann in «Le Monde» vom 14. Dezember 1957. Dieser ist abgedruckt in Olivier Todd: Albert Camus. Ein Leben. Reinbek 1999

166 Simone de Beauvoir: Der Lauf der Dinge, Reinbek 1966, S. 368

167 Vgl. Jean-Paul Sartre: Kolonia-

lismus und Neokolonialismus. Reinbek 1968, und ders.: Wir sind alle Mörder. Der Kolonialismus ist ein System. Reinbek 1988

168 Jean-Paul Sartre: Kritik der dialektischen Vernunft. Reinbek 1967, S. 868 f.

169 Ebenda, S. 27

170 Ebenda, S. 37

171 Ebenda, S. 72 f.

172 Ebenda, S. 27

173 Ebenda, S. 138

174 Ebenda, S. 458

175 Ebenda, S. 465

176 Claude Lévi-Strauss: Das wilde Denken, Bd. 2: Mythos und Bedeutung, Frankfurt a. M. 1968, S. 160 f.

177 Jean-Paul Sartre antwortet. Interview mit Bernard Pingaud. In: alternative 54, Juni 1967, S. 130 f.

178 Paolo Caruso: Gespräch mit Michel Foucault. In: Michel Foucault: Von der Subversion des Wissens. Hg. von Walter Seitter. München 1974, S. 16

179 Ebenda, S. 21

180 Vgl. das Gespräch zwischen Michel Foucault und Gilles Deleuze: Die Intellektuellen und die Macht. In: Michel Foucault: Von der Subversion des Wissens, S. 128 ff.

181 Vgl. Jean-Paul Sartre: Situationen. Reinbek 1965, S. 59 ff.

182 Jean-Paul Sartre: Meine Gründe für die Ablehnung des Nobelpreises. In: Ders.: Was kann Literatur? Reinbek 1979, S. 69

183 Ebenda, S. 70

184 Ebenda, S. 71

185 Ebenda

186 Jean- Paul Sartre: Die Wörter, S. 144

187 Ebenda, S. 143 f.

188 Ebenda, S. 144

189 Ebenda

190 Interview mit new left review, S. 175

191 Jean-Paul Sartre: Über ‹Der Idiot der Familie›. In: Was kann Literatur?, S. 157

192 Jean-Paul Sartre: Der Idiot der Familie. Gustave Flaubert 1821–1857. Band 1–5. Reinbek 1977–1980, hier Band 1, S. 334

193 Ebenda, S. 287

194 Ebenda, S. 414

195 Ebenda, S. 448

196 Ebenda, S. 573

197 Ebenda, Band 4, S. 226

198 Ebenda, Band 1, S. 487

199 Ebenda, S. 586

200 Ebenda, S. 506

201 Ebenda, Band 4, S. 27

202 Ebenda, Band 3, S. 1125

203 Ebenda

204 Ebenda, Band 1, S. 332 f.

205 Ebenda, Band 4, S. 206

206 Janet Flanner: Pariser Tagebuch. 1945–1965. Hamburg, Düsseldorf 1967, S. 500

207 Machismus und Ebenbürtigkeit. In: Sartre über Sartre, S. 189

208 Ebenda

209 Interview mit new left review, S. 182 f.

210 Vgl. Daniel Cohn-Bendit u. a.: Aufstand in Paris. Reinbek 1968, S. 59

211 Jean-Paul Sartre: Über ‹Der Idiot der Familie›, S. 169

212 Jean-Paul Sartre: Selbstporträt mit siebzig Jahren, S. 222

213 Ebenda, S. 220

214 Ebenda, S. 202

215 Ebenda, S. 203

216 Ebenda, S. 202

217 Jean-Paul Sartre: Die Linke neu denken. Über Hoffnung und Moral. Ein Gespräch mit Benny Lévy. In: «Freibeuter». Nr. 4. 1979, S. 49

218 Jean-Paul Sartre: Selbstporträt mit siebzig Jahren, S. 217 f.

219 Jean-Paul Sartre: Die Wörter, S. 144

ZEITTAFEL

1905 Jean-Paul Sartre wird am 21. Juni in Paris geboren, als Sohn des Marineoffiziers Jean-Baptiste Sartre und seiner Frau Anne-Marie.

1906 Der Vater stirbt. Sartres Mutter zieht mit ihrem Sohn zu ihren Eltern, Charles und Louise Schweitzer. Sartres Großvater, ein Onkel Albert Schweitzers, ist Deutschlehrer und entstammt einer elsässischen Familie liberaler Protestanten, in der der Lehrerberuf Tradition besitzt.

1915 Sartre, der bis zu seinem zehnten Lebensjahr von seinem Großvater unterrichtet wurde, besucht das Lycée Henri IV in Paris.

1917–1920 Nach der Wiederverheiratung seiner Mutter zieht Sartre mit ihr und seinem Stiefvater, dem Ingenieur Joseph Mancy, nach La Rochelle.

1920–1924 Fortsetzung der Schulbildung in Paris und Freundschaft mit Paul Nizan.

1924–1929 École normale supérieure. Kurz vor dem Staatsexamen verlieben sich Sartre und seine Kommilitonin Simone de Beauvoir.

1929–1931 Militärdienst als Meteorologe in Tours.

1931–1936 Gymnasiallehrer für Philosophie in Le Havre.

1933 Studienaufenthalt in Berlin als Stipendiat des Institut Français; Studium der Schriften von Husserl und Heidegger.

1936–1937 Veröffentlichung von *L'imagination (Die Imagination)*. Gymnasiallehrer für Philosophie in Laon.

1937–1939 Philosophielehrer in Paris am Lycée Pasteur.

1937 Veröffentlichung von *La transcendance de l'ego (Die Transzendenz des Ego)*.

1938 Veröffentlichung von *La nausée (Der Ekel)*.

1939 Veröffentlichung von *Esquisse d'une théorie des émotions (Skizze einer Theorie der Emotionen)* und der Sammlung von Erzählungen *Le mur (Die Mauer)*; im September wird Sartre zum Kriegsdienst einberufen.

1940 Veröffentlichung von *L'imaginaire (Das Imaginäre)*; Sartre gerät in deutsche Kriegsgefangenschaft und wird nach Trier gebracht.

1941 Sartre entkommt dem Lager mit Hilfe gefälschter Entlassungspapiere. Zurückgekehrt nach Paris scheitern seine Versuche, eine Widerstandsgruppe gegen die deutschen Besatzer aufzubauen. Er arbeitet wieder als Philosophielehrer.

1943 Uraufführung von *Les mouches (Die Fliegen)*; Veröffentlichung von *L'Être et le Néant (Das Sein und das Nichts)*. Sartre schreibt für die illegale Presse, er lernt Camus kennen.

1944 Uraufführung von *Huis clos (Geschlossene Gesellschaft)*.

1945 Erscheinen der ersten Nummer von «Les Temps Modernes». Im Auftrag der Zeitungen «Combat» und «Figaro» reist Sartre in die USA. Veröffentlichung von *L'âge de raison (Zeit der Reife)* und *Le sursis (Der Aufschub)*. Sartre hält im Oktober den Vortrag *Der Existentialismus ist ein Humanismus*, der ihn endgültig zu einer «intellektuellen Institution» werden lässt.

1946 Veröffentlichung von *Réflexions sur la question juive (Überlegungen zur Judenfrage)*. Uraufführung von *Morts sans sépulture (Tote ohne Begräbnis)* und *La putain respectueuse (Die respektvolle Dirne)*.

1947 Veröffentlichung von *Situations I, Baudelaire, Théâtre,*

Qu'est-ce que la littérature? (Was ist Literatur?) und *Les jeux sont faits (Das Spiel ist aus)*.

1948 Der Vatikan setzt Sartres Werke auf den «Index der verbotenen Bücher». Veröffentlichung von *Situations II, L'engrenage (Im Räderwerk)* und *Orphée noir (Schwarzer Orpheus)*. Sartre ist Mitbegründer des «Rassemblement démocratique révolutionnaire RDR» («Revolutionäre demokratische Sammlung»). Uraufführung von *Les mains sales (Die schmutzigen Hände)*

1949 Austritt aus dem RDR. Veröffentlichung von *La mort dans l'âme (Der Pfahl im Fleische), Situations III und Entretiens sur la politique*.

1951 Uraufführung von *Le diable et le bon Dieu (Der Teufel und der liebe Gott)*.

1952 Veröffentlichung von *Saint Genet, comédien et martyr (Saint Genet, Komödiant und Märtyrer) und Les communistes et la paix (Die Kommunisten und der Frieden)*. Bruch mit Camus.

1953 Uraufführung von *Kean*.

1954 Erste Reise in die UdSSR.

1955 Uraufführung von *Nekrassov*. Reise nach China.

1956 Öffentliche Manifestationen gegen den Algerienkrieg und gegen die sowjetische Intervention in Ungarn.

1957 Veröffentlichung von *Le fantôme de Staline (Das Gespenst Stalins)*.

1959 Veröffentlichung von *Les séquestrés d'Altona (Die Eingeschlossenen von Altona)*.

1960 Veröffentlichung des ersten Bandes der *Critique de la raison dialectique (Kritik der dialektischen Vernunft)*, der zweite erscheint

1985 postum als Materialsammlung. Reise nach Kuba.

1961 Vorwort zu Frantz Fanon: «Les damnés de la terre» («Die Verdammten dieser Erde»). Bombenanschlag der OAS auf Sartres Wohnung.

1964 Veröffentlichung von *Les mots (Die Wörter)*. Sartre erhält den Nobelpreis für Literatur und lehnt ihn ab. Veröffentlichung von *Situations IV, V* und *VI*.

1965 Veröffentlichung von *Situations VII*. Uraufführung von *Les Troyennes (Die Troerinnen)*

1966/67 Reisen nach Japan, Ägypten und Israel. Vorsitzender des Russell-Tribunals.

1968 Solidarität mit der Protestbewegung vom Mai '68. Verurteilung der Intervention der Staaten des Warschauer Pakts gegen den «Prager Frühling».

1969 Demonstrationen und Interviews gegen die Repression der Bewegung des Mai '68 und gegen den Vietnamkrieg.

1970–72 Veröffentlichung der ersten drei Bände von *L'idiot de la famille (Der Idiot der Familie)*.

1973 Gründung und Herausgabe der Zeitschrift «Libération».

1974 Veröffentlichung von *On a raison de se révolter (Der Intellektuelle als Revolutionär)*. Besuch bei Andreas Baader im Gefängnis Stammheim.

1976 Uraufführung des Films *Sartre par lui-même (Sartre. Ein Film)*

1980 Unter dem Titel *L'espoir maintenant (Hoffnung jetzt)* veröffentlicht die Zeitschrift «Le Nouvel Observateur» Gespräche zwischen Sartre und Benny Lévy. Am 15. April stirbt Sartre in einem Pariser Krankenhaus.

Zeugnisse

Martin Heidegger

Sartre spricht dagegen den Grundsatz des Existentialismus so aus: die Existenz geht der Essenz voran. Er nimmt dabei existentia und essentia im Sinne der Metaphysik, die seit Plato sagt: Die essentia geht der existentia voraus. Sartre kehrt diesen Satz um. Aber die Umkehrung eines metaphysischen Satzes bleibt ein metaphysischer Satz. […] So kommt es denn bei der Bestimmung der Menschlichkeit des Menschen als der Ek-sistenz darauf an, daß nicht der Mensch das Wesentliche ist, sondern das Sein. […] Ob dieses Denken, gesetzt daß an einem Titel überhaupt etwas liegt, sich noch als Humanismus bezeichnen läßt? Gewiß nicht, insofern der Humanismus metaphysisch denkt. Gewiß nicht, wenn er Existentialismus ist und den Satz vertritt, den Sartre ausspricht: précisément nous sommes sur un plan où il y a seulement des hommes. […] Statt dessen wäre, von «Sein und Zeit» her gedacht, zu sagen: précisément nous sommes sur un plan où il y a principalement l'Être.
Brief über den Humanismus, 1946

Hannah Arendt

Camus hat gerade angeläutet […] Sartre et al. will ich nicht sehen; das ist sinnlos. Die haben sich ganz in ihre Theorien verkrochen und leben auf einem hegelisch eingerichteten Mond.
Brief aus Paris an ihren Mann Heinrich Blücher, 1952

Wilhelm Hausenstein, erster deutscher Botschafter in Paris nach 1945

Der philosophische Sartre nun: mir scheint, er sei für Paris und Frankreich von Übel (und übrigens für alle Welt). Der Mensch, der «die Freiheit» ist und sich in dem Grade vollendet, in dem er diese existentielle Freiheit praktiziert, nämlich ohne Bindung an ein objektives Gebot, ohne Bindung an das Wort Gottes […]: er begreift die Freiheit in einem Sinne, die einen materiellen Grundgeschmack hat, den des Mechanischen – weitab von dem Bereich der spirituellen, metaphysischen Freiheit, die dem Christen teuer ist. Die «Existenz» sodann, der «Existialismus»: kann etwas als Programm, als Forderung verlauten, das gegeben ist?
Pariser Erinnerungen, 1957

Walter Biemel

Wenn Sartre in den verschiedenen Werken die zwischenmenschlichen Beziehungen als durch das Machtmoment bestimmt ansieht und sie deswegen zum Scheitern verurteilt, so mag das unseren Widerspruch hervorrufen. Er weist aber auf ein Geschehen hin, in dem wir mitten darin stehen, nicht nur die Einzelnen, sondern auch die Völker, und das vielleicht die fatale Bedrohung für die Menschheit darstellt – bloß wollen wir uns das nicht eingestehen. Sartre ist einer der faszinierendsten Schriftsteller unserer Zeit, keineswegs der größte, weder als Philosoph noch als Künstler – aber einer der faszinierendsten, weil in ihm etwas von der verborgenen Strömung unserer Zeit aufbricht.
Sartre, 1964

Herbert Marcuse

In einer Anmerkung zu *L'Être et le Néant* hieß es, daß eine Moral der Befreiung und Rettung möglich sei, daß sie aber eine «radikale Konversion» fordere. Sartres Schriften und Stellungnahmen in den letzten zwei Jahrzehnten sind eine solche Konversion. Reine Ontologie und Phänomenologie rezedieren vor dem Einbruch der wirklichen Geschichte in Sartres Begriffe, der Auseinandersetzung mit dem Marxismus, der Aufnahme der Dialektik. [...] In der politisch gewordenen Philosophie wird die existentialistische Grundkonzeption gerettet durch das Bewußtsein, das dieser Realität den Kampf ansagt – in dem Wissen, daß die Realität Sieger bleibt. Wie lange? Die Frage, auf die es keine Antwort gibt, ändert nichts an der Gültigkeit der Position, die für den Denkenden heute die einzig mögliche ist. In dem großen Vorwort zu Fanons «Les Damnés de la Terre», in den Erklärungen gegen die Kolonialkriege [...] hat Sartre das Versprechen einer «Moral der Befreiung» eingelöst. Wenn er, wie er fürchtet, eine «Institution» geworden ist, so wäre es eine Institution, in der das Gewissen und die Wahrheit Zuflucht gefunden haben.

Existentialismus, Nachwort von 1965

Theodor W. Adorno

Sartre und seine Freunde, Kritiker der Gesellschaft und nicht willens, bei theoretischer Kritik sich zu bescheiden, übersahen nicht, daß der Kommunismus, überall wo er zur Macht gelangt war, als Verwaltungssystem sich eingrub. [...] Darum hat Sartre alles auf das Moment abgestellt, das von der herrschenden Praxis nicht mehr geduldet wird, nach der Sprache der Philosophie die Spontaneität. Je weniger objektive Chancen ihr die gesellschaftliche Machtverteilung bot, desto ausschließlicher hat er die Kierkegaardsche Kategorie der Entscheidung urgiert.

Negative Dialektik, 1966

Hans Mayer

Eine seiner wichtigsten Leistungen ist die Begründung seiner Zeitschrift «Les Temps Modernes», die das Modell für alle großen Zeitschriften mit Dokumentcharakter geworden ist.

Ein Blatt wie das von Enzensberger begründete «Kursbuch» wäre undenkbar ohne das Modell, das Sartre und die Franzosen gegeben haben. Und wenn wir solche Werke wie das «Kursbuch» oder den «Freibeuter» nehmen [...], so ist das auf einem von Sartre begründeten Denken aufgebaut worden. Er hat sich eingemischt, aber in Form von Dokumentarberichten. Und sehen wir einmal von Stammheim und anderen wenigen Fällen ab: Ob Sartre zu Vietnam oder Algerien oder zur Judenfrage, zum Antisemitismus [...] gesprochen hat: In der Sache hat er meistens recht gehabt.

Nach dem Tode von Jean-Paul Sartre. Ein Gespräch, 1980

Hans-Georg Gadamer

Ich darf zunächst daran erinnern, daß Sartre doch wohl seit Bergson der erste große französische Denker ist, der auch in Deutschland einen echten Widerhall gehabt hat. Sein Name hat sich sehr bald mit dem Namen von Merleau-Ponty verknüpft [...], aber es war doch kein Zweifel, daß der erste Anstoß unseres Aufmerkens von Sartre her kam. Für mich war es eine besondere Herausforderung und stellte ein hermeneutisches Problem dar, daß die französischen Philosophen, auch so geniale Männer wie dieser große Schriftsteller Jean-Paul Sartre, drei deutsche Philosophen gleichzeitig und wie eigene Zeitgenossen in sich aufgenommen haben. Diese drei deutschen Denker heißen Hegel, Husserl und Heidegger. Sie sind die drei großen H, wie ich manchmal zu sagen pflege, und es ist für uns eine fast unlösbare Aufgabe, diese für uns so verschiedenartigen Denker und die Motive, die von dort aus in das Denken Sartres eingeflossen sind, zu unterscheiden und ihre gemeinsame Aussage zu erfassen.

Das Sein und das Nichts, 1987

Traugott König

Abschließend ist also zu fragen, ob sich die Paradigma- oder Referenzsysteme des Existentialismus und des Strukturalismus zueinander nicht eher komplementär verhalten als einander widersprechend und ausschließend und ob die Attacken gegen das Sartresche Denken sich nicht eher gegen einen Popanz als gegen Sartre selber richten.

Sartre und Bataille, 1987

Herbert Schnädelbach

Sartre vertritt in Wahrheit die Einheit von Marxismus und Cartesianismus, weil er sicher ist, daß die transzendentale Ontologie der Subjektivität mit ihren eigenen Mitteln und in ihrem konsequenten Vollzug die durch ihre Materialität bestimmte konkrete Person als das Prinzip der umfassenden Anthropologie zutage fördern wird. Ich behaupte, daß die Kritische Theorie Grund genug hat, Sartre an dieser Stelle aufzunehmen;

ihr erkenntnistheoretisches Defizit war immer auch ein subjektivitätstheoretisches Defizit, und als solches besteht es auch nach der kommunikationstheoretischen Wende fort.

Sartre und die Frankfurter Schule, 1987

Manfred Frank

Sartre hat glänzend gezeigt, daß Hegels Theorie wechselseitiger Anerkennung nicht nur in den Zirkel sich verstrickt, sondern ihr selbstgesetztes Ziel mit den eigenen Mitteln nicht einmal erreicht. Indem sie die sinnliche Einzelnheit der konkurrierenden Subjekte unter die phänomenologisch ungeeignete Kategorie des «Lebens» stellt und damit «Objektivität» und «Leben» gleichsetzt, glaubt sie, die Selbständigkeit der Freiheit dadurch sich manifestieren lassen zu können, daß diese den Tod nicht scheue.

Subjektivität und Intersubjektivität, 1991

Bibliographie

1. Bibliographien

BELKIND, ALLEN J.: Jean-Paul Sartre. Sartre and existentialism in English. A bibliographical guide. Kent, O. 1970. (The Serif Series: Bibliographies and checklists. 10)

CONTAT, MICHEL und MICHEL RYBALKA: Les écrits de Sartre. Chronologie, bibliographie commentée. Paris 1970

CONTAT, MICHEL und MICHEL RYBALKA: Sartre. Bibliographie 1980–1992. Paris 1993

GABER, GERNOT VON: A comprehensive bibliography of international theses and dissertations 1950–1985. Hürth-Efferen 1992

LAPOINTE, FRANÇOIS H.: Jean-Paul Sartre and his critics. An international bibliography (1938–1980). With the collaboration of CLAIRE LAPOINTE. Annotated and rev. 2nd ed. Ohio 1981

WILLCOCKS, ROBERT: Jean-Paul Sartre. A bibliography of international criticism. Edmonton, Canada 1975

2. Werke

I. Sammelausgaben

Théâtre, Paris (Gallimard) 1962

Œuvres romanesques. Édition établie par MICHEL CONTAT et MICHEL RYBALKA avec la collaboration de GENEVIÈVE IDT et de GEORGE BAUER. Paris (Gallimard) 1982 (Bibliothèque de la Pléiade, 295)

Gesammelte Werke in Einzelausgaben. In Zusammenarbeit mit dem Autor und ARLETTE ELKAÏM-SARTRE hg. von TRAUGOTT KÖNIG. Reinbek (Rowohlt) 1978 ff.
I. Romane und Erzählungen
II. Theaterstücke
III. Drehbücher
IV. Schriften zur Literatur
V. Schriften zu Theater und Film
VI: Schriften zur bildenden Kunst und Musik
VII. Politische Schriften
VIII. Autobiographische Schriften

Gesammelte Werke. In Zusammenarbeit mit dem Autor und ARLETTE ELKAÏM-SARTRE hg. von TRAUGOTT KÖNIG. Reinbek (Rowohlt) 1986 ff.
Schriften zur Literatur. 8 Bde.
Romane und Erzählungen. 4 Bde.
Theaterstücke, Schriften zu Theater und Film. 9 Bde.
Drehbücher
Autobiographische Schriften, Briefe, Tagebücher. 6 Bde.
Philosophische Schriften I. 4 Bde.
Schriften zur bildenden Kunst und Musik. Reisen

II. Erstausgaben

a) Philosophische und politische Schriften, Schriften zur Literatur und Kunst

A. Einzelschriften

L'Imagination. Étude critique. Paris (Alcan) 1936

Die Imagination. Übers. VON BERND SCHUPPENER. In: Die Transzendenz des Ego. Philosophische Essays 1931–1939. Hg. VON BERND SCHUPPENER. Reinbek (Rowohlt) 1982

Esquisse d'une théorie des émotions. Paris (Hermann) 1939

Skizze einer Theorie der Emotionen. Übers. von TRAUGOTT KÖNIG. In: Die Transzendenz des Ego. Philosophische Essays 1931–1939. Hg. VON BERND SCHUPPENER. Reinbek (Rowohlt) 1982

L'Imaginaire. Psychologie phénoménoloque de l'imagination. Paris (Gallimard) 1940

Das Imaginäre. Phänomenologische Psychologie der Einbildungskraft. Übers. von HANS SCHÖNEBERG. Mit einem Beitrag «Sartre über Sartre». Übers. von LEONHARD ALFES. Reinbek (Rowohlt) 1971

L'Être et le Néant. Essai d'ontologie phénoménologique. Paris (Gallimard) 1943

Das Sein und das Nichts. Hg. von TRAUGOTT KÖNIG. Übers. von HANS SCHÖNEBERG und TRAUGOTT KÖNIG. Reinbek (Rowohlt) 1991

L'Existentialisme est un humanisme. Présentation et notes par ARLETTE ELKAÏM-SARTRE. Paris 1996

Der Existentialismus ist ein Humanismus. Übers. von WERNER BÖKENKAMP u. a. Reinbek (Rowohlt) 2000

Réflexions sur la question juive. Paris (Morihien) 1946

Überlegungen zur Judenfrage. Übers. von VINCENT V. WROBLEWSKY. Reinbek (Rowohlt) 1994

Explication de «L'Étranger». Scéaux (Palimugre) 1946 – Wiederabdruck in: Situations I. 1947

«Der Fremde» von Camus. In: Situationen. 1956–1965 – In: Der Mensch und die Dinge. 1978. [Vgl. Abschnitt B.]

Baudelaire. Paris (Gallimard) 1947

Baudelaire. Ein Essay. Neu hg. und mit einem Nachwort von DOLF OEHLER. Reinbek (Rowohlt) 1978

L'Homme et les choses. Paris (Seghers) 1947 – Wiederabdruck in: Situations I. 1947

Der Mensch und die Dinge. In: Der Mensch und die Dinge. 1978 [Vgl. Abschnitt B.]

Conscience de soi et connaissance de soi. In: Bulletin de la Société Française de Philosophie, XLII, 1948

Bewußtsein und Selbsterkenntnis. Die Seinsdimension des Subjekts. Übers. von MARGOT FLEISCHER und HANS SCHÖNEBERG. Reinbek (Rowohlt) 1973

Visages, précédé de Portraits officiels. Paris (Seghers) 1948

Gesichter. Offizielle Porträts. Übers. von ULI AUMÜLLER. In: Die Transzendenz des Ego. Philo-

sophische Essays 1931–1939. Hg. von BERND SCHUPPENER. Reinbek (Rowohlt) 1982

Entretiens sur la politique. [Mit David Rousset und Gérard Rosenthal.] Paris (Gallimard) 1949

Saint Genet, comédien et martyr. Paris (Gallimard) 1952

Saint Genet, Komödiant und Märtyrer. Übers. VON URSULA DÖRRENBÄCHER. Reinbek (Rowohlt) 1982

L'Affaire Henri Martin. Paris (Gallimard) 1953

Wider das Unrecht. Die Affäre Henri Martin. Übers. von EVA MOLDENHAUER. Reinbek (Rowohlt) 1983

Critique de la raison dialectique, précédé de Question de méthode. T. 1. Théorie des ensembles pratiques. Paris (Gallimard) 1960

Kritik der dialektischen Vernunft. Bd. 1. Theorie der gesellschaftlichen Praxis. Übers. von TRAUGOTT KÖNIG. Reinbek (Rowohlt) 1967

Marxisme et existentialisme. Controverse sur la dialectique. Paris (Plon) 1962

Existentialismus und Marxismus. Eine Kontroverse zwischen Sartre, Garaudy, Hyppolite, Vigier und Orcel. Übers. von ELISABETH SCHNEIDER Frankfurt a. M. (Suhrkamp) 1965

Qu'est-ce que la littérature? [Separatdruck aus: Situations II. 1948] Paris (Gallimard) 1964

Was ist Literatur? Hg., übers. und mit einem Nachwort von TRAUGOTT KÖNIG. Reinbek (Rowohlt) 1981

La Transcendance de l'ego. Esquisse d'une description phénoménologique. [1936.] Introduction, notes et appendices par SYLVIE LE BON. Paris (Vrin) 1965

Die Transzendenz des Ego. Skizze einer phänomenologischen Beschreibung. Übers. von BERND SCHUPPENER. In: Die Transzendenz des Ego. Philosophische Essays 1931–1939. Hg. von BERND SCHUPPENER. Reinbek (Rowohlt) 1982

Questions de méthode. [Separatdruck aus: Critique de la raison dialectique. T. 1. 1960.] Paris (Gallimard) 1967 – Éd. revue et annotée par ARLETTE ELKAÏM-SARTRE. 1986

Fragen der Methode. Übers. von VINCENT VON WROBLEWSKY. Reinbek (Rowohlt) 1999

Les Communistes ont peur de la révolution. Paris (Didier) 1969 – Wiederabdruck in: Situations VIII. 1972

Die Kommunisten haben Angst vor der Revolution. In: Mai '68 und die Folgen. Bd. 1. 1974 [Vgl. Abschnitt B.]

L'Idiot de la famille. Gustave Flaubert de 1821 à 1857. 3 Bde. Paris (Gallimard) 1971–1972 – Nouv. éd. revue et corrigée. 1988

Der Idiot der Familie. Gustave Flaubert 1821–1857. Übers. von TRAUGOTT KÖNIG. 5 Bde. Reinbek (Rowohlt) 1977–1979

On a raison de se révolter. Discussions. [Mit Philippe Gavi und Pierre Victor.] Paris (Gallimard) 1974

Der Intellektuelle als Revolutionär. Streitgespräche. Übers. von ANNETTE LALLEMAND. Reinbek (Rowohlt) 1976
Cahiers pour une morale. Paris (Gallimard) 1983
Critique de la raison dialectique. T. 1. Théorie des ensembles pratiques. Questions de méthode. T. 2. L'Intelligibilité de l'histoire (inachevé). Texte établi par ARLETTE ELKAÏM-SARTRE. Nouv. éd. revue et corrigée. Paris (Gallimard) 1985
Mallarmé. La lucidité et sa face d'ombre. Texte établi et annoté par ARLETTE ELKAÏM-SARTRE. Paris (Gallimard) 1986
La Reine Albermarle ou le dernier touriste. Fragments. Paris (Gallimard) 1991
Königin Albemarle oder Der letzte Tourist. Übers. von ULI AUMÜLLER. Reinbek (Rowohlt) 1997
Vérité et Existence. Texte établi et annoté par ARLETTE ELKAÏM-SARTRE. Paris (Gallimard) 1989
Wahrheit und Existenz. Übers. von HANS SCHÖNEBERG und VINCENT VON WROBLEWSKY. Reinbek (Rowohlt) 1996

B. Sammlungen von Essays, Reden, Interviews

Situations I. Paris (Gallimard) 1947
Situations II. Paris (Gallimard) 1948
Situations III. Paris (Gallimard) 1949
Situations IV. Portraits. Paris (Gallimard) 1964
Situations V. Colonialisme et néo-colonialisme. Paris (Gallimard) 1964
Situations VI. Problèmes du marxisme, 1. Paris (Gallimard) 1964
Situations VII. Problèmes du marxisme, 2. Paris (Gallimard) 1965
Situations VIII. Autour de 68. Paris (Gallimard) 1972
Situations IX. Mélanges. Paris (Gallimard) 1972
Un théâtre de situations. Textes rassemblés, établis, présentés et annotés par MICHEL CONTAT et MICHEL RYBALKA. Paris (Gallimard) 1973
Situations X. Politique et autobiographie. Paris (Gallimard) 1976
Écrits de jeunesse. Textes rassemblés, établis, présentés et annotés par MICHEL CONTAT. Paris 1990
Brüderlichkeit und Gewalt. Ein Gespräch mit BENNY LÉVY. Berlin 1993
Drei Essays. Mit einem Nachwort von WALTER SCHMIELE. Frankfurt a. M. (Ullstein) 1960
Freundschaft und Ereignis. Begegnung mit Merleau-Ponty. Übers. von HANS-HEINZ HOLZ. Frankfurt a. M. (Insel Verlag) 1962
Situationen. Essays. Erw. Neuausg. Übers. von WERNER BÖKENKAMP, HANS GEORG BRENNER, ABELLE CHRISTALLER, GÜNTER SCHEEL und CHRISTOPH SCHWERIN. Reinbek (Rowohlt) 1965
[Vermehrt um: Über John Dos Passos und «Neunzehnhundertneunzehn». François Mauriac und die Freiheit. Jean Giraudoux und die aristotelische Philosophie. Ein neuer Mystiker. Eine grundlegende Idee der Phänomenologie Husserls: Die Intentionalität. Der Mensch und die Dinge. «Aminadab» oder Das Phantastische als Ausdrucksweise betrachtet. Individualismus und Konformismus in den Vereinigten Staaten. Amerikanische Städte. New York eine Kolonialstadt]
Porträts und Perspektiven. Übers. von ELMAR TOPHOVEN, ABELLE CHRISTALLER, GILBERT STRASMANN und HANS-HEINZ HOLZ. Reinbek (Rowohlt) 1968
[Bildnis eines Unbekannten. Der Künstler und sein Gewissen. Von Ratten und Menschen. Lebendiger Gide. Antwort an Albert Camus. Albert Camus. Paul Nizan. Merleau-Ponty. Der Eingeschlossene von Venedig. Die Gemälde Giacomettis. Der Maler ohne Vorrechte. Masson. Finger und Nicht-Finger. Ein Kapuzinerbeet. Venedig von meinem Fenster aus]
Kolonialismus und Neokolonialismus. Sieben Essays. Übers. von MONIKA KIND und TRAUGOTT KÖNIG. Reinbek (Rowohlt) 1968
[Der Kolonialismus ist ein System. «Porträt des Kolonisierten mit einer Einleitung Porträt des Kolonisators» von Albert Memmi. «Ihr seid fabelhaft». Ein Sieg. Die Analyse des Referendums. «Die Verdammten dieser Erde». Das politische Denken Patrice Lumumbas]
Der Intellektuelle und die Revolution. Übers. von IRMA REBLITZ. Neuwied

(Luchterhand) 1971 [Der Intellektuelle und die Revolution. Ein Theoretiker in Bolivien. Bürgerkrieg in Frankreich? Ein Betriebstribunal. Der Schriftsteller und die Sprache. Mythos und Wirklichkeit des Theaters. Rede vor Renault-Arbeitern] Bewußtsein und Selbsterkenntnis. Die Seinsdimension des Subjekts. Übers. VON MARGOT FLEISCHER und HANS SCHÖNEBERG. Reinbek (Rowohlt) 1973 Mai '68 und die Folgen. Reden, Interviews, Aufsätze. Bd. 1. Übers. von DIETRICH LEUBE und HEINER STÜCK. Reinbek (Rowohlt) 1974 [Das Alibi. «Lassen wir uns nicht erpressen». Der Linken den Garaus machen oder sie kurieren? Heilsamer Schock. Das Bollwerk des Raymond Aron. Der neue Gedanke vom Mai 1968. Die Kommunisten haben Angst vor der Revolution. Es gibt keinen guten Gaullismus. Der Erzählungsband «Die Mauer» am Gymnasium. Die geprellte Jugend. Massen, Spontaneität, Partei. Das brasilianische Volk im Kreuzfeuer seiner Bourgeoisie. Der Fall Geismar. «Die Dritte Welt beginnt am Stadtrand». Die ganze Wahrheit. Erklärung auf der Pressekonferenz des «Komitees zur Befreiung der inhaftierten Soldaten» am 27. Januar 1970. Erstes Volkstribunal in Lens] Mai '68 und die Folgen. Reden, Interviews, Aufsätze. Bd. 2. Übers. von DIETRICH LEUBE, TRAUGOTT KÖNIG, LEONHARD ALFES und HILDA VON BORN-PILSACH. Reinbek (Rowohlt) 1975 [Plädoyer für die Intellektuellen. L' Ami du peuple. Die Anthropologie. «Sartre über Sartre». Palmiro Togliatti. Das singulare Universale. Der Sozialismus, der aus der Kälte kam]

Sartre über Sartre. Hg. von TRAUGOTT KÖNIG. Übers. von GILBERT STRASMANN, EDMOND LUTRAND, HANS-HEINZ HOLZ, ANNETTE LALLEMAND, LEONHARD ALFES und PETER ASCHNER. Reinbek (Rowohlt) 1977 [«Was brauchen wir eine Kassandra?»: Über Paul Nizan. Den Tod im Herzen: Tagebuchfragment aus dem Jahre 1940. Freundschaft und Widersprüche: Über Maurice Merleau-Ponty. «Wir müssen unsere eigenen Werte schaffen»: Ein «Playboy»-Interview über philosophische und literarische Fragen. Sartre über Sartre: Interview. Machismus und Ebenbürtigkeit: Simone de Beauvoir befragt Jean-Paul Sartre zur Frauenbewegung. Selbstporträt mit siebzig Jahren]

Der Mensch und die Dinge. Aufsätze zur Literatur 1938–1946. Hg. und mit einem Nachwort von LOTHAR BAIER. Übers. von LOTHAR BAIER, WERNER BÖKENKAMP, HANS GEORG BRENNER, ABELLE CHRISTALLER, GÜNTHER SCHEEL und CHRISTOPH SCHWE-

RIN. Reinbek (Rowohlt) 1978 [«Sartoris» von William Faulkner. Über John Dos Passos und «Neunzehnhundertneunzehn». «Die Verschwörung» von Paul Nizan. François Mauriac und die Freiheit. Vladimir Nabokov, «Verzweiflung». Denis de Rougemont, «Die Liebe im Abendland». «Der leuchtende Strom» von Charles Morgan. Die Zeitlichkeit bei William Faulkner. Jean Giraudoux und die aristotelische Philosophie. «Moby Dick» von Herman Melville. «Der Fremde» von Camus. Drieu La Rochelle oder Der Selbsthaß. «Aminadab» oder Das Phantastische als Sprache. Der Mensch und die Dinge. Der gefesselte Mensch. Vorstellung von «Les Temps Modernes». Die Nationalisierung der Literatur. Für seine Epoche schreiben] Was kann Literatur? Interviews, Reden, Texte 1960–1976. Hg. und mit einem Nachwort von TRAUGOTT KÖNIG. Übers. von STEPHAN HERMLIN, TRAUGOTT KÖNIG, JOACHIM OZDOBA und HELMUT SCHEFFEL. Reinbek (Rowohlt) 1979 [Literatur als Engagement für das Ganze. Die Abrüstung der Kultur. Bilanz und Vorspiel für einen Dialog zwischen den Schriftstellern in Ost und West. Alle Künste sind realistisch. Was bedeutet Literatur in einer Welt, die hungert? Meine Gründe für die Ablehnung des

Nobelpreises. Was kann die Literatur? Taschenbuchkultur und Massenkultur. Avantgarde? Wovon und von wem? Der Schriftsteller und seine Sprache. Ich – Du – Er: Ein exemplarischer Roman über das notwendige Scheitern der «realistischen» Erzähltechniken. Über «Der Idiot der Familie». Ein exemplarischer Roman über den Kolonialkrieg. Über die geplante Fortsetzung von «Der Idiot der Familie»]

Mythos und Realität des Theaters. Schriften zu Theater und Film 1931–1970. Übers. von KLAUS VÖLKER. Reinbek (Rowohlt) 1979 [Zum Dramenstil. Mythen schaffen. Für ein Situationstheater. Volkstheater und bürgerliches Theater. Brecht und die Klassiker. Wenn die Polizei dreimal klopft … Autor, Werk und Publikum. Episches Theater und dramatisches Theater. «Soledad» von Colette Audry. Gespräch mit Kenneth Tynan. Georges Michel, «La promenade du dimanche». Mythos und Realität des Theaters. Die kinematographische Kunst. Ein Film für die Zeit nach dem Krieg. Hollywood 1945. Wenn Hollywood Problemfilme macht: «Citizen Kane» von Orson Welles. Diskussion für die Kritik an «Iwans Kindheit» von Andrej Tarkowskij. Der Film schenkt uns seine erste Tragödie: «Die Abgründe» von Nico Papatakis]

Paris unter der Besatzung. Artikel, Reportagen, Aufsätze 1944–1945. Hg., übers. und mit einem Nachwort von HANNS GRÖSSEL. Reinbek (Rowohlt) 1980 [Ein Sparziergänger im aufständischen Paris. Die Republik des Schweigens. Paris unter der Besatzung. Die Befreiung von Paris: Eine Woche der Apokalypse. Was ist ein Kollaborateur? Das Ende des Krieges]

Die Transzendenz des Ego. Philosophische Essays 1931–1939. Hg. und mit einem Nachwort von BERND SCHUPPENER. Übers. von ULI AUMÜLLER, TRAUGOTT KÖNIG und BERND SCHUPPENER. Reinbek (Rowohlt) 1982 [Legende der Wahrheit. Eine fundamentale Idee der Phänomenologie Husserls: die Intentionalität. Die Transzendenz des Ego. Die Imagination. Skizze einer Theorie der Emotionen. Offizielle Porträts. Gesichter]

Krieg im Frieden 1. Artikel. Aufrufe, Pamphlete 1948–1954. Hg. von TRAUGOTT KÖNIG. Übers. von EVA MOLDENHAUER. Reinbek (Rowohlt) 1982 [Der Krieg und die Angst: Aufruf des Komitees für das Rassemblement Démocratique Révolutionnaire. Hunger im Bauch – Freiheit im Herzen. Wir brauchen den Frieden, um die Welt zu erneuern. Geburt Israels. Die Tage unseres Lebens. «La fin de l'espoir». Falsche Wissenschaftler oder

falsche Hasen. Sind wir in der Demokratie? Die Kommunisten und der Frieden]

Krieg im Frieden 2. Reden, Polemiken, Stellungnahmen 1952 bis 1956. Hg. von TRAUGOTT KÖNIG und DIETRICH HOSS. Übers. von ABELLE CHRISTALLER, DIETRICH HOSS, TRAUGOTT KÖNIG und EVA MOLDENHAUER. Reinbek (Rowohlt) 1982 [Albert Camus, Brief an den Herausgeber der «Temps Modernes». Antwort an Albert Camus. Rede bei der Eröffnung des Weltfriedenskongresses in Wien. Was ich in Wien gesehen habe, ist der Frieden. Der Wiener Kongreß. Claude Lefort, Der Marxismus und Sartre. Antwort an Claude Lefort. Die tollwütigen Tiere. Operation «Kanapa». Julius Fučik. Der Reformismus und die Fetische. Pierre Naville, Die Mißgeschicke Nekrassows. Antworten an Pierre Naville. Das Gespenst Stalins]

Mallarmés Engagement. Hg. und übers. von TRAUGOTT KÖNIG. Reinbek (Rowohlt) 1983 [Mallarmés Engagement. Mallarmé (1842–1898)]

Schwarze und weiße Literatur. Aufsätze zur Literatur 1946–1960. Hg. und mit einem Nachwort von TRAUGOTT KÖNIG. Übers. von TRAUGOTT KÖNIG, GILBERT STRASMANN und ELMAR TOPHOVEN. Reinbek (Rowohlt) 1984 [Neue Literatur in Frankreich. Die Verantwortlichkeit des Schrift-

stellers. Schwarzer Orpheus. Nathalie Sarraute, «Portrait eines Unbekannten». Verteidigung der französischen Kultur durch die europäische Kultur. Von der Berufung zum Schriftsteller. Lebendiger Gide. Von Ratten und Menschen. Albert Camus]
Sartre. Hg. von THOMAS H. MACHO. München (dtv) 1998
Sartre Lesebuch. Den Menschen erfinden. Hg. von TRAUGOTT KÖNIG. Reinbek (Rowohlt) 1986
Wir sind alle Mörder. Der Kolonialismus ist ein System. Artikel, Reden, Interviews 1947–1967. Hg. von TRAUGOTT KÖNIG. Übers. von MONIKA KIND, TRAUGOTT KÖNIG und EVA MOLDENHAUER. Reinbek (Rowohlt) 1988 [Schwarze Präsenz. Der Kolonialismus ist ein System. «Der Kolonisator und der Kolonisierte» von Albert Memmi. «Ihr seid fabelhaft». Wir sind alle Mörder. Ein Sieg: Über «Die Folter» von Henri Alleg. «Der Prätendent». Die Verfassung der Verachtung. Die Frösche, die einen König haben wollen. Über den Nationalismus der algerischen Befreiungsfront und der französischen Linken. Erklärung über das Recht zum Ungehorsam im Algerienkrieg (Manifest der 121). Brief an das Militärgericht. Die Analyse des Referendums. Die Schlafwandler. «Die Verdammten dieser Erde» von Frantz Fanon. Das politische Denken Patrice

Lumumbas. «Eine Diskussion ist nicht mehr möglich». Ein Amerikaner widerspricht Sartre. Sartre antwortet. Das Verbrechen. Brief an den Präsidenten der Republik. Antwort des Präsidenten der Republik. Sartre an de Gaulle. Russell-Tribunal: Eröffnungsrede. Antwort an Dean Rusk. Zwölf Menschen ohne Zorn. Von Nürnberg nach Stockholm. Der Völkermord]

b) Romane

La Nausée. Paris (Gallimard) 1938
Der Ekel. Erste vollst. Ausg. Übers. von ULI AUMÜLLER. Reinbek (Rowohlt) 1981
L'Âge de raison. (Les Chemins de la liberté. T. 1.) Paris (Gallimard) 1945
Zeit der Reife. (Die Wege der Freiheit. Bd. 1) Übers. von ULI AUMÜLLER. Reinbek (Rowohlt) 1986
Le Sursis. (Les Chemins de la liberté. T. 2.) Paris (Gallimard) 1945
Der Aufschub (Die Wege der Freiheit. Bd. 2.) Übers. von ULI AUMÜLLER. Reinbek (Rowohlt) 1987
La Mort dans l'âme. (Les Chemins de la liberté. T. 3.) Paris (Gallimard) 1949
Der Pfahl im Fleische. (Die Wege der Freiheit. Bd. 3.) Übers. von ULI AUMÜLLER. Reinbek (Rowohlt) 1988
La Dernière chance. (Les Chemins de la liberté. T. 4.) Paris (Gallimard) 1981
Die letzte Chance. (Die Wege der Freiheit. Bd. 4.)

Übers. von ULI AUMÜLLER. Mit einem Nachwort von MICHEL CONTAT zum gesamten Romanzyklus «Die Wege der Freiheit». Reinbek (Rowohlt) 1986
Journal de Mathieu. In: Les Temps Modernes 434 (1982), S. 449–475
Mathieus Tagebuch. Übers. von ANDREA SPINGLER. In: MARIUS PERRIN: Mit Sartre im deutschen Kriegsgefangenenlager. Reinbek (Rowohlt) 1983

c) Erzählungen

Le Mur. Paris (Gallimard) 1939
Die Kindheit eines Chefs. Gesammelte Erzählungen. Übers. von ULI AUMÜLLER. Reinbek (Rowohlt) 1983 [Die Wand. Das Zimmer. Herostrat. Intimität. Die Kindheit eines Chefs]

d) Theaterstücke

Les Mouches. Paris (Gallimard) 1943
Die Fliegen. Übers. von TRAUGOTT KÖNIG. In: Bariona oder Der Sohn des Donners. Die Fliegen. Reinbek (Rowohlt) 1991
Huis clos. Paris (Gallimard) 1945
Geschlossene Gesellschaft. Übers. von TRAUGOTT KÖNIG. Reinbek (Rowohlt) 1986
Morts sans sépulture. Lausanne (Marguerat) 1946
Tote ohne Begräbnis. Übers. von TRAUGOTT KÖNIG. Reinbek (Rowohlt) 1988
La Putain respectueuse. Paris (Nagel) 1946
Die respektvolle Dirne. Übers. von ANDREA

SPINGLER. Reinbek (Rowohlt) 1987

Les Mains sales. Paris (Gallimard) 1948

Die schmutzigen Hände. Übers. von EVA GROEP-LER. Reinbek (Rowohlt) 1989

Le Diable et le bon Dieu. Paris (Gallimard) 1951

Der Teufel und der liebe Gott. Übers. von ULI AUMÜLLER. Reinbek (Rowohlt) 1991

Kean. (Adaptation de la comédie d'Alexandre Dumas.) Paris (Gallimard) 1954

Kean oder Unordnung und Genie. Ein Stück nach Alexandre Dumas. Übers. von ULI AUMÜL-LER. Reinbek (Rowohlt) 1993

Nekrassov. Paris (Gallimard) 1956

Nekrassow. Übers. von SUSANNE LEPSIUS und WILLI WOLFRADT. Hamburg (Rowohlt) 1956

Les Séquestrés d'Altona. Paris (Gallimard) 1960

Die Eingeschlossenen von Altona. Stück in fünf Akten. Übers. von TRAUGOTT KÖNIG. Reinbek (Rowohlt) 1987

Euripide: Les Troyennes. Adaptation. Paris (Gallimard) 1965

Die Troerinnen des Euripides. Übers. von HANS MAYER. In: Gesammelte Dramen. Reinbek (Rowohlt) 1969

Bariona, ou le Fils du tonnerre. In: MICHEL CONTAT und MICHEL RYBALKA, Les écrits de Sartre. Paris (Gallimard), 1970, S. 565–633

Bariona oder Der Sohn des Donners. Übers. von ANDREA SPINGLER. In: MARIUS PERRIN: Mit Sar-

tre im deutschen Kriegsgefangenenlager. Reinbek (Rowohlt) 1983, S. 155–216 – Neuausg. In: Bariona oder Der Sohn des Donners. Die Fliegen. Reinbek (Rowohlt) 1991

e) Drehbücher

Les Jeux sont faits. Paris (Nagel) 1947

Das Spiel ist aus. Übers. von ALFRED DÜRR. Hamburg (Rowohlt) 1952

L'Engrenage. Paris (Nagel) 1948

Im Räderwerk. Übers. von EVA GROEPLER. Reinbek (Rowohlt) 1989

Le Scénario Freud. Paris (Gallimard) 1984

Freud. Das Drehbuch. Übers. von TRAUGOTT KÖNIG unter Mitarbeit von JUDITH KLEIN. Reinbek (Rowohlt) 1993

f) Autobiographische Schriften, Tagebücher, Briefe

Les Mots. Paris (Gallimard) 1964

Die Wörter. Übers. und mit einer Nachbemerkung von HANS MAYER. Reinbek (Rowohlt) 1965

Les Carnets de la drôle de guerre. Septembre 1939 – Mars 1940. Hg. von ARLETTE ELKAÏM-SARTRE. (Nouvelle édition augmentée d'un carnet inédit.) Paris (Gallimard) 1995

Tagebücher. November 1939 bis März 1940. Übers. von EVA MOLDEN-HAUER. Reinbek (Rowohlt) 1984

Lettres au Castor et à quelques autres. Éd., établie, prés. et annotée par SIMONE DE BEAUVOIR. T. 1: 1926–1939.

T. 2: 1940–1963. Paris (Gallimard) 1983

Briefe an Simone de Beauvoir und andere. Hg. von SIMONE DE BEAU-VOIR. Übers. von ANDREA SPINGLER. Bd. 1: 1926–1939, Bd. 2: 1940–1963. Reinbek (Rowohlt) 1984–1985

g) Von Sartre herausgegebene Zeitschriften

Les Temps Modernes. Revue mensuelle. Année 1–35. Paris 1945–1980

3. Lebenszeugnisse

ALTWEGG, JÜRG (Hg.): Tod eines Philosophen. Jean-Paul Sartre, Symbol einer unvollendeten Epoche. Bern 1981

BEAUVOIR, SIMONE DE: Mémoires d'une jeune fille rangée. Paris 1958

–: Memoiren einer Tochter aus gutem Hause. Reinbek (Rowohlt) 1960

–: La Force de l'âge. Paris 1960

–: In den besten Jahren. Reinbek (Rowohlt) 1961

–: La Force des choses. Paris 1963

–: Der Lauf der Dinge. Reinbek (Rowohlt) 1966

–: Tout compte fait. Paris 1972

–: Alles in allem. Reinbek (Rowohlt) 1974

–: La Cérémonie des adieux, suivi de Entretiens avec Sartre, août – septembre 1974. Paris 1981

–: Die Zeremonie des Abschieds und Gespräche mit Jean-Paul Sartre. August – September 1974. Reinbek (Rowohlt) 1983

BEN GALI, ELY: Mardi

chez Sartre, un Hébreu à Paris (1967–79). Paris 1992

BOSCHETTI, ANNA: Sartre et les «Temps Modernes». Paris 1985

CELEUX, ANNE-MARIE: Jean-Paul Sartre, Simone de Beauvoir. Une expérience commune. Paris 1986.

FRANCIS, CLAUDE, und FERNANDE GONTIER: Simone de Beauvoir. Paris 1985
–: Simone de Beauvoir. Die Biographie. Weinheim (Beltz) 1986 – Neuausg.: Reinbek (Rowohlt) 1989

GARCIA, CLAUDINE: Un écrivain à la une. Étude des articles de presse parus à la mort de Sartre. In: Pratiques 27 (1980), S. 41–60

GERASSI, JOHN: Hated conscience of his century. The University of Chicago Press 1989

MADSEN, AXEL: Hearts and minds. The common journey of Simone de Beauvoir and Jean-Paul Sartre. New York 1977
–: Jean-Paul Sartre und Simone de Beauvoir. Die Geschichte einer ungewöhnlichen Liebe. Düsseldorf 1980. – Neuausg.: Reinbek (Rowohlt) 1982

MICHEL, GEORGES: Mes années Sartre. Histoire d'une amitié. Paris 1981

PACALY, JOSETTE: Sartre au miroir. Paris 1980

PERRIN, MARIUS: Avec Sartre au Stalag 12D. Paris 1980
–: Mit Sartre im deutschen Kriegsgefangenenlager. Übers. von ANDREA SPINGLER. Reinbek (Rowohlt) 1983

Sartre par lui-même. Un film réalisé par ALEXAN-DRE ASTRUC et MICHEL CONTAT. Paris 1977

Sartre. Ein Film von ALEXANDRE ASTRUC und MICHEL CONTAT. Übers. von LINDE BIRK. Reinbek (Rowohlt) 1977

Sartre. Images d'une vie. Photos réunies par LILIANE SENDYK-SIEGEL. Commentaires de SIMONE DE BEAUVOIR. Paris 1978

SICARD, MICHEL: Essais sur Sartre. Entretiens avec Sartre (1975–79) Paris 1989.

SIEGEL, LILIANE: La clandestine. Paris 1988.
–: Mein Leben mit Sartre. Düsseldorf 1989

4. Gesamtdarstellungen

COHEN-SOLAL, ANNIE: Sartre. Paris 1985
–: Sartre. 1905–1980. Reinbek (Rowohlt) 1988

DANTO, ARTHUR C.: Sartre. Göttingen (Steidl) 1986

HAYMAN, RONALD: Writing against. A Biography of Sartre. London 1986. Dt. Sartre. Leben und Werk. München (Heyne) 1988

HENGELBROCK, JÜRGEN: Jean-Paul Sartre. Freiheit als Notwendigkeit. Einführung in das philosophische Werk. Freiburg i. B. 1989

MÖBUSS, SUSANNE: Sartre. Freiburg (Herder) 2000

SUHR, MARTIN: Sartre zur Einführung. Mit einem Beitrag von RUPERT NEUDECK. Hamburg 1987

5. Aufsatzsammlungen, Sonderhefte von Zeitschriften

Autour de Jean-Paul Sartre. Littérature et psychologie. Introduction de PIERRE VERSTRAETEN. Paris 1981. (Idées 438)

Das Sartre Jahrbuch. Hg. von RAINER E. ZIMMERMANN, Münster 1990 – Münster 1991

HARTH, HELENE und VOLKER ROLOFF (Hg.): Literarische Diskurse des Existentialismus. Tübingen 1986 (Romanica et Comparatistica. 5) [Sartre: S. 9–128; 191–209]

KÖNIG, TRAUGOTT (Hg.): Sartre. Ein Kongreß. Reinbek (Rowohlt) 1988

MAYER, HANS: Anmerkungen zu Sartre. Pfullingen 1972 (Opuscula 29)

Obliques. No. 18/19: Sartre. Dirigé par MICHEL SICARD, Paris 1979

Obliques. No. 24/25: Sartre et les arts. Dirigé par MICHEL SICARD. Paris 1981

Revue d'esthétique. NS., no. 2: Sartre – Barthes. Prés. par MIKEL DUFRENNE. Toulouse 1981

Revue internationale de philosophie. Vol. 39, no. 152/153: Jean-Paul Sartre. Bruxelles 1985

SICARD, MICHEL: Essais sur Sartre. Paris 1989

Sur les écrits posthumes de Sartre. Prés. de PIERRE VERSTRAETEN. Bruxelles 1987

The French Review. Vol. 55, no. 7: Sartre and biography. Ed. by STIRLING HAIG [...] Champaign 1982

The philosophy of Jean-

Paul Sartre. Ed. by PAUL
A. SCHILPP. La Salle 1981
(The library of living
philosophers. 16)
Yale French Studies,
No. 68: Sartre after
Sartre. Ed. by FREDRIC
JAMESON. New Haven
1985
ZIMMERMANN, RAINER E.
(Hg.): Jean-Paul Sartre.
Kongreß. Frankfurt
a. M. 1988, Cuxhaven
1989 (Denker des 20.
Jahrhunderts. 1)

6. Untersuchungen

a) Zu Philosophie und
Politik

AMÉRY, JEAN: Sartres En-
gagement. In: AMÉRY,
Macht und Ohnmacht
der Intellektuellen.
Hamburg 1968,
S. 70–90
AMÉRY, JEAN: Sartre. Grö-
ße und Scheitern. In:
Merkur 28 (1974),
S. 1123–1137
ARON, RAYMOND: Histoire
et dialectique de la vio-
lence. Paris 1973
AUDREY, COLETTE: Jean-
Paul Sartre et la réalité
humaine. Paris 1966
(Philosophes de tous les
temps. 23)
BUBNER, RÜDIGER: Phäno-
menologie, Reflexion
und Cartesianische
Existenz. Zu Jean-Paul
Sartres Begriff des Be-
wußtseins. Diss. Heidel-
berg 1964
DORNBERG, MARTIN: Ge-
walt und Subjekt. Eine
kritische Untersuchung
zum Subjektbegriff in
der Philosophie Jean-
Paul Sartres. Würzburg
1989
FOWNET-BETANCOURT,

RAÚL: Philosophie der
Befreiung. Die phäno-
menologische Ontolo-
gie bei Jean-Paul Sartre.
Frankfurt a. M. 1983
GÖRLAND, INGTRAUD:
Die konkrete Freiheit
des Individuums bei He-
gel und Sartre. Frank-
furt a. M. 1978
HARTMANN, KLAUS:
Grundzüge der Ontolo-
gie Sartres in ihrem Ver-
hältnis zu Hegels Logik.
Eine Untersuchung zu
«L' Être et le Néant».
Berlin 1963 – Wiederab-
druck in: HARTMANN,
Die Philosophie Sartres.
Berlin 1983
HARTMANN, KLAUS:
Sartres Sozialphiloso-
phie. Eine Untersu-
chung zur «Critique de
la raison dialectique».
Berlin 1966 – Wiederab-
druck in: HARTMANN,
Die Philosophie Sartres.
Berlin 1983
HAUG, WOLFGANG FRITZ:
Jean-Paul Sartre und die
Konstruktion des Ab-
surden. Frankfurt a. M.
1966. 2. überarb. Aufl.
u. d.T.: Kritik des Ab-
surdismus. Köln 1976
(Kleine Bibliothek. 77)
HOLZ, HANS HEINZ: Jean-
Paul Sartre. Darstellung
und Kritik seiner Philo-
sophie. LT Meisenheim /
Glan 1951
HOMBACH, DIETER: Die
Grundlegung der Dia-
lektik. Jean-Paul Sartre
als Initiator einer freien
Praxis. Frankfurt a. M.
1980 (Europäische
Hochschulschriften. 20,
52)
JEANSON, FRANCIS: Le pro-
blème moral et la pen-
sée de Sartre. Paris 1947
KAUFMANN, EMIL: Macht
und Arbeit. Jean-Paul
Sartre und die europä-

ische Neuzeit. Würz-
burg 1988 (Traditions-
erkenntnis und Zeitkri-
tik. 1)
KEMPSKI, JÜRGEN V.:
Sartres «Wahrheit»
vom Menschen. In:
KEMPSKI, Brechungen.
Kritische Versuche
zur Philosophie der
Gegenwart. Reinbek
(Rowohlt) 1964
KOECHLIN, HEINER: Frei-
heit und Geschichte in
der Kontroverse zwi-
schen Albert Camus
und Jean-Paul Sartre.
Ein Vortrag. Basel 1985
KÖNIG, TRAUGOTT: Sartres
Begriff des Engage-
ments. In: Neue Rund-
schau (1980), S. 39–62
KROSIGK, FRIEDRICH VON:
Philosophie und politi-
sche Aktion bei Jean-
Paul Sartre. München
1969 (Münchner
Studien zur Politik. 11)
LAING, RONALD D., und DA-
VID D. COOPER: Reason
and violence. A decade
of Sartre's philosophy,
1950–1960. London
1964. – Rev. Neuausg.:
1971
–: Vernunft und Gewalt.
Drei Kommentare zu
Sartres Philosophie,
1950–1960. Frankfurt
a. M. (Suhrkamp) 1973
LÉVY, BENNY: Le nom de
l'homme. Dialogue avec
Sartre. Lagrasse 1984
LUKÁCS, GEORGES: Sartre
contre Marx. In:
LUKÁCS, Existentialisme
ou marxisme? Paris
1948. S. 141–160. Dt. in:
LUKÁCS: Existentialis-
mus oder Marxismus?
Berlin 1951
MALER, EDUARD: Sartres
Individualitätsherme-
neutik. München 1986
MARCUSE, HERBERT: Exi-
stentialismus. Bemer-

kungen zu Jean-Paul Sartres «L'Être et le Néant». In: Sinn und Form 1 (1950), S. 50–82 – Wiederabdruck in: MARCUSE, Kultur und Gesellschaft. Bd. 2. Frankfurt a. M. 1965, S. 44–84

MERLEAU-PONTY, MAURICE: Les aventures de la dialectique. Paris 1955 [Darin: Jean-Paul Sartre, S. 131–237]

–: Die Abenteuer der Dialektik. Frankfurt a. M. 1968 [Darin: Sartre und der Ultra-Bolschewismus, S. 115–244]

NEUDECK, RUPERT: Die politische Ethik bei Sartre und Albert Camus. Bonn 1975 (Studien zur französischen Philosophie des 20. Jahrhunderts. 4)

SCHAFF, ADAM: Marx oder Sartre. Versuch einer Philosophie des Menschen. Wien 1964

SCHUPPENER, BERND MARTIN: Phänomenologie und Dialektik in Sartres «L'Être et le Néant». Seins- und werttheoretische Untersuchungen zum Problem der Reflexionsimitation. Diss. Mainz 1980

SEEL, GERHARD: Sartres Dialektik. Zur Methode und Begründung seiner Philosophie unter besonderer Berücksichtigung der Subjekt-, Zeit- und Werttheorie. Bonn 1971 (Abhandlungen z. Philosophie, Psychologie und Pädagogik. 68)

SPOERRI, THEOPHIL: Aufruf zum Widerstand. Die Herausforderung Jean-Paul Sartres. Konstanz 1965 (Reflexion. 4)

THEUNISSEN, MICHAEL: Der Andere. Studien zur Sozialontologie der Gegenwart. Berlin 1965

THEUNISSEN, MICHAEL: Sartres negationstheoretische Ontologie der Zeit und Phänomenologie der Zeitdimensionen. In: Negative Theologie der Zeit. Frankfurt a. M. 1991

THYSSEN, JOHANNES: Sartre und das alte Problem der Willensfreiheit. In: Erkenntnis und Verantwortung. Festschrift für Theodor Litt. Hg. von JOSEPH DERBOLAV und FRIEDHELM NICOLIN. Düsseldorf 1960

TURKI, MOHAMED: Freiheit und Befreiung. Zur Dialektik philosophischer Praxis bei Sartre. Bochum 1986

WAELHENS, ALPHONSE DE: Sartre et la raison dialectique. In: Revue philosophique de Louvain 50 (1962), S. 79–99

WALDENFELS, BERNHARD: Phänomenologie in Frankreich. Frankfurt a. M. (Suhrkamp) 1983

WERNER, ERIC: De la violence au totalitarisme. Essai sur la pensée de Camus et de Sartre, Paris 1972

WITTMAN, HEINER: Von Wols zu Tintoretto. Sartre zwischen Kunst und Philosophie. Frankfurt a. M. 1987 (Bonner romanistische Arbeiten. 24)

WROBLEWSKY, VINCENT VON: Sartre. Theorie und Praxis eines Engagements. Berlin 1977

ZEHM, GÜNTER ALBRECHT: Historische Vernunft und direkte Aktion. Zur Politik und Philosophie Jean-Paul Sartres. Stuttgart 1964 (Frankfurter Studien zur Wissenschaft der Politik. 1)

b) Zur Ästhetik und Literaturkritik

BATAILLE, GEORGES: La littérature et le mal. Paris 1957 [Darin: Baudelaire «mis à nu». L' Analyse de Sartre et l'essence de la poésie, S. 35–68 – Genet et Sartre, S. 197–244] – Dt.: Die Literatur und das Böse. München 1987

CLERC, JEANNE-MARIE: La place du cinéma dans les études littéraires de Sartre. In: Recherches sur l'histoire de la poétique. Études publ. par MARC-MATHIEU MÜNCH. Bern 1984

DAHLHAUS, REINHARD: Subjektivität und Literatur. Sartres Literaturästhetik. Köln 1986 (Janus-Wissenschaft. 7)

KÖNIG, TRAUGOTT: Sartre über Mallarmé. In: Neue Rundschau 94 (1983)

LAUX, THOMAS: Kritik der bürgerlichen Vernunft. Zu Sartres «Critique littéraire» und der Funktion der Intellektuellen. Frankfurt a. M. 1988 (Literaturwissenschaft – Theorie und Geschichte)

LESCH, WALTER: Imagination und Moral. Interferenzen von Ästhetik, Ethik und Religionskritik in Sartres Literaturverständnis. Würzburg 1989 (Epistemata. Reihe Philosophie. 63)

MERKS-LEINEN, GABRIELE: Literaturbegriff und Bewußtseinstheorie. Zur Bestimmung der Literatur bei Sartre. Bonn 1976 (Studien zur französischen Philosophie des 20. Jahrhunderts. 2)

MÜLLER-LISSNER, ADELHEID: Sartre als Biograph Flauberts. Zu Zielen und Methoden von «L'Idiot de la famille». Bonn 1977 (Studien zur französischen Philosophie des 20. Jahrhunderts. 7)

ROLOFF, VOLKER: Rôle, jeu, projet littéraire. Der Rollenbegriff Sartres im Schnittpunkt von Literaturpsychologie und Literatursoziologie. In: Psychoanalytische Literaturwissenschaft und Literatursoziologie. Hg. von HENNING KRAUSS und REINHARD WOLFF. Frankfurt a. M. 1982 (Literatur und Psychologie. 7)

SÄNDIG, BRIGITTE: Was vermag der Romancier? Sartres Polemik gegen Mauriac aus dem Jahre 1939. In: Beiträge zur romanischen Philologie 18 (1979)

Sartres Flaubert lesen. Essays zu «Der Idiot der Familie». Hg. von TRAUGOTT KÖNIG. Reinbek (Rowohlt) 1980

SCHMIDT-SCHWEDA, DIETLINDE: Werden und Wirken des Kunstwerks. Untersuchungen zur Kunsttheorie Jean-Paul Sartres. Meisenheim a. Gl. 1975 (Zeitschrift für philosophische Forschung. Beiheft 32)

SCHMITT, CHRISTIAN: Mensch und Sprache. Zur Darstellung des Sprachproblems bei Sartre. In: Romanistisches Jahrbuch 30 (1979), S. 17 – 42

SEVENICH, GABRIELE: «Wechselseitigkeit durch das Wort». Zur Sprachtheorie in Sartres «Flaubert». In: Deutsche Vierteljahrsschrift für Literaturwissenschaft und Geistesgeschichte 56 (1982)

WANNICKE, RAINER: Beschwörungstänze. Jean-Paul Sartres Hagiographie Genets. In: Das Heilige. Seine Spur in der Moderne. Hg. von DIETMAR KAMPER und CHRISTOPH WULF. Frankfurt a. M. 1987

c) Zu den literarischen Werken

BENSIMON, MARC: «Nekrassov» ou l'antithéâtre. In: French Review 31 (1957)

BERLINGER, RUDOLPH: Sartres Existenzerfahrung. Ein Anlaß zu philosophischer Nachdenklichkeit. Würzburg 1982

CONTAT, MICHEL: Explication des «Séquestrés d'Altona» de Sartre. Paris 1968 (Archives des lettres modernes. 89)

FRANK, MANFRED: Archäologie des Individuums. Zur Hermeneutik von Sartres «Flaubert». In: FRANK, Das Sagbare und das Unsagbare. Studien zur neuesten französischen Hermeneutik und Texttheorie. Frankfurt a. M. (Suhrkamp) 1980

GALSTER, INGRID: Le théâtre de Jean-Paul Sartre devant ses premiers critiques. T. 1. Les pièces créées sous l'occupation allemande: «Les Mouches» et «Huis clos». Tübingen 1985

HIERSE, WOLFGANG: Jean-Paul Sartre. Das dramatische Werk. Bd. 1 – 2. Hollfeld / Obf.

1986 – 1988. (Analysen und Reflexionen. S. 58; 63)

IDT, GENEVIÈVE: «La Nausée» de Sartre. Analyse critique. Paris 1971 (Profil d'une œuvre. 18)

IDT, GENEVIÈVE: «Le Mur» de Jean-Paul Sartre. Techniques et contexte d'une provocation. Paris 1972

KRAUSS, HENNING: «Bariona». Sartres Theaterauffassung im Spiegel seines ersten Dramas. In: Germanisch-romanische Monatsschrift 19 (1969)

KRAUSS, HENNING: Die Praxis der «littérature engagée» im Werk Jean-Paul Sartres, 1938 bis 1948. Heidelberg 1970 (Studia Romanica. 20)

KRAUSS, HENNING: Sartres Adaptation der euripideischen «Troerinnen». In Germanisch-romanische Monatsschrift 19 (1969)

LAUSBERG, HEINRICH: Einführung in Sartres «Les Jeux sont faits». In: Archiv für das Studium der neueren Sprachen 196 (1959)

MAANEN, W. VAN: Kean. From Dumas to Sartre. In: Neophilologus 56 (1972)

MAYER, HANS: Sartre und Camus. Anmerkungen. Pfullingen 1965 (Opuscula. 29)

RAETHER, MARTIN: Der «Acte gratuit». Revolte und Literatur. Heidelberg 1980 (Studia Romanica. 37)

SABIN, VOLKER: Sartre, «Die schmutzigen Hände». Frankfurt a. M. 1976

STEINER, PAMELA: Von der Résistance zum Vier-

mächtestatus. Sartres
«Fliegen» in der Dis-
kussion. Diss. Berlin
1987
VERSTRAETEN, PIERRE: Vio-
lence et éthique. Esquis-
se d'une critique de la
morale dialectique à
partir du théâtre politi-
que de Sartre. Paris 1972
WEYLAND, PETER: Sartre.
Aktualität und literari-
sche Form. Zwei Stu-
dien zu «Huis clos» und
«L'Engrenage». Mit
einer Einl. von HENNING
KRAUSS. München 1979
WISSER, RICHARD: Jean-
Paul Sartre und der
«liebe Gott». In: Zeit-
schrift für Religions-
und Geistesgeschichte
19 (1967)

d) Zur Autobiographie

ARNOLD, A. JAMES und
JEAN-PIERRE PIRIOU:
Génèse et critique d'une
autobiographie. «Les
Mots» de Jean-Paul
Sartre. Paris 1973
(Archives des lettres
modernes. 144)
GAUGER, HANS-MARTIN:
Der Mann im Kind.
Notizen zu Sartres «Les
Mots». In: Festgabe für
Julius Wilhelm zum 80.
Geburtstag. Hg. von
HUGO LAITENBERGER.
Wiesbaden 1977 (Zeit-
schrift für französische
Sprache und Literatur.
Beiheft 5), S. 17–39
MEHLMAN, JEFFREY:
A structural study of
autobiography. Proust,
Leiris. Sartre, Lévi-
Strauss. Ithaca 1974
MIETHING, CHRISTOPH:
Saint-Sartre oder der
autobiographische
Gott. Heidelberg 1983

e) Zur Herausgebertätig-
keit

BOSCHETTI, ANNA: Sartre
et «Les Temps
modernes». Une entre-
prise intellectuelle.
Paris 1985
DAVIES, HOWARD: Sartre
and «Les Temps moder-
nes». Cambridge 1987
RANWEZ, ALAIN D.: Jean-
Paul Sartre's «Les Temps
modernes». A literary
history, 1945–1952.
Troy, N.Y. 1981

Über die Autorin

Christa Hackenesch, geboren 1953, studierte Philosophie, Geschichte und Soziologie in Münster, Freiburg und Frankfurt. Sie promovierte 1983 in Tübingen und war seit 1985 wissenschaftliche Mitarbeiterin und Hochschulassistentin an der TU Berlin. Dort habilitierte sie sich 1998. Sie ist Privatdozentin am Institut für Philosophie der TU Berlin. Wichtigste Veröffentlichungen: Die Logik der Andersheit. Eine Untersuchung zu Hegels Begriff der Reflexion. Frankfurt a. M. 1987; Selbst und Welt. Zur Metaphysik des Selbst bei Heidegger und Cassirer. Hamburg 2001. Aufsätze zu ihrem Themenschwerpunkt «Philosophie der Subjektivität».